Tu bebé prematuro

Tu bebé

Una guía para padres

prematuro

Victoria Dana

DIANA

Diseño de portada: Vivian Cecilia González
Fotografía de portada: © VStock LLC / Photo Stock
Ilustraciones de interiores: Miguel Ángel Chávez Villalpando /
Alma Julieta Núñez Cruz
Cuidado de la edición: Karina Simpson

Derechos reservados

© 2009, Victoria Dana

© 2009, Editorial Planeta Mexicana, S.A. de C.V.
Bajo el sello editorial DIANA
Avenida Presidente Masarik núm. 111, 2o. piso
Colonia Chapultepec Morales
C.P. 11570 México, D.F.
www.editorialplaneta.com.mx

Primera edición: mayo de 2009
ISBN: 978-607-07-0146-7

Impreso en los talleres de Litográfica Ingramex, S.A. de C.V.
Centeno núm. 162, colonia Granjas Esmeralda, México, D.F.
Impreso y hecho en México – *Printed and made in Mexico*

Índice

Ser mamá de un bebé prematuro...

Es entender una realidad diferente entre lo anhelado y lo recibido.

Es vivir entre la fe, el deseo y la lucha, con angustia y gran incertidumbre.

Es sostener con las manos una vida frágil que por largo tiempo pende de un hilo.

Es acompañar a un ser indefenso en el desarrollo de su cuerpo quebrantable e inmaduro.

Es vivir en angustia constante envuelta en ilusiones.

Es ser fuerte y desgarrarse.

Es convertirse en médico, enfermera, cuidadora, terapeuta, maestra, estimuladora, observadora objetiva.

Es llenarse de alegrías con cada logro.

Es agradecer a la vida cada instante.

Es festejar cada día.

Es valorar poder estar, respirar, correr, hablar y reír.

Es ser como un prisma de cristal que con la luz del sol refleja un espectro de posibilidades, sentimientos encontrados y acciones.

Es ser *todóloga* invadida de amor, entrega y esperanza.

Introducción

Cuando una mujer está embarazada, su mente se llena de planes. Sin embargo, cuando su bebé llega al mundo de forma prematura, los mejores planes desaparecen y, en su lugar, surge un enojo inevitable, acompañado por la fuerza y la convicción de hacer lo necesario para mantener con vida al bebé. Esta situación genera cambios y desajustes emocionales en los padres, y mucho dolor en el bebé, quien, entre otras cosas, es tratado con agujas y sondas, manipulado constantemente, y expuesto a luces y sonidos intensos.

Para mí, el nacimiento prematuro de mi hijo generó una mezcla de sentimientos: impotencia al no poder continuar con el embarazo, tristeza por la pérdida *in útero*, nostalgia por no poder haber llegado a término, angustia al ignorar qué sucedería una vez que, mediante cesárea, naciera el bebé. Cientos de ideas pesimistas me invadieron; y fue a partir de esta mezcla de emociones y de la saturación de dudas que comenzó a surgir la fe, el deseo de lucha y la intención de aprender para actuar de la mejor manera: no sólo siendo una madre amorosa, entregada y comprometida hacia la vida de mi pequeñito, sino también una persona informada, observadora, objetiva y fuerte.

Un parto prematuro tiene diversas consecuencias; por un lado está un bebé que probablemente sea incapaz de sobrevivir sin la intervención de un grupo médico y de la terapia intensiva neonatal (UCIN); por el otro la madre que, comúnmente, experimenta sentimientos de vacío, insatisfacción, temor, enojo, depresión, culpa y duelo anticipado por la pérdida repentina del embarazo, y por tener que dejar al bebé en el hospital con la posibilidad de que muera en cualquier momento.

Los grandes cambios y desajustes emocionales que sufren los padres de bebés prematuros se agrupan en los siguientes ciclos:

- Shock, dolor y negación.
- Culpabilidad.
- Rabia hacia el bebé, la pareja, los médicos y/o el destino.
- Depresión.
- Negociación y enojo con Dios.
- Miedo a la condición del bebé, a que fallezca o sufra algún daño permanente.
- Tendencia a la reiteración. Los padres cuentan una y otra vez la historia a quien se preste a escucharlos.

Estos ciclos y sus variantes son naturales. De hecho, pueden repetirse periódicamente mucho tiempo después del nacimiento; la recurrencia y la recuperación se dan a diferente velocidad en cada padre, mamá y papá enfrentarán y actuarán de acuerdo con su fuerza, temperamento y personalidad. Las diferencias en este proceso pueden fortalecer a la pareja o, por el contrario, derivar en la separación.

Es normal que los padres sientan confusión al experimentar la mezcla de sentimientos y preocupaciones que bullen en el interior, lo que puede interferir en la capacidad de concentración; por ello, es necesario que el médico explique y repita la información hasta que papá y mamá la comprendan cabalmente. Si el bebé sufre constantemente crisis de salud, cada recaída requerirá que los padres experimenten el remolino de sentimientos otra vez, generando desgaste. Los esposos pueden estar en diferentes etapas del proceso de elaboración y sentirse muy solos, por lo que es importante darse tiempo para escucharse el uno al otro y sostenerse en un periodo tan desgarrador.

La culpa es un sentimiento terrible que, por lo general, acompaña a los padres de bebés prematuros que padecen alguna enfermedad o problemas de desarrollo. Por eso protegen a su hijo, quieren arreglar lo que está mal y hacer todo por él sin equivocaciones. La realidad es que lo que sucede en una situación de este tipo, escapa de nuestro control: aun cuando se intente hacer todo bien, las cosas pueden ir mal; complicaciones médicas y un sinfín de detalles cotidianos pueden entorpecer los planes y reducir el tiempo para estar con el bebé en el hospital.

Una lección a aprender en esta situación, es comprender que hacemos lo mejor que podemos y que necesitamos *soltar* lo que no está en nuestras manos; de esta manera enfocamos la atención a lo que sí es posible resolver. Los padres no deben ser duros consigo mismos; es recomendable que busquen y entren en contacto con personas que estén o que hayan estado en las mismas circunstancias pues los podrán comprender, escuchar y aceptar su condición emocional. Contar con un grupo de apoyo es sumamente importante en este proceso.

Causas del parto prematuro

Muchas veces es imposible llegar a saber con exactitud el motivo por el cual se desencadena un parto prematuramente o se produce la ruptura temprana de membranas (rompimiento de la bolsa), pero sí se conocen algunas causas que pueden predisponer al parto prematuro y es importante conocerlas para prevenirlas. Éstas son:

Enfermedades maternas

Las enfermedades de la madre son las más frecuentes y entre ellas se pueden citar:

- Infecciones en las vías urinarias.
- Enfermedades renales.
- Enfermedades cardiacas.
- Diabetes.
- Anemia severa.
- Alteraciones tiroideas no tratadas.

Enfermedades propias del embarazo

Estas enfermedades pueden causar que el parto sea provocado prematuramente con el fin de preservar la salud y la vida tanto de la madre como del bebé, ya que de permanecer en el útero, correría mayores riesgos que los que implica la condición de prematuro.

- Preeclampsia (hipertensión arterial provocada por el embarazo).
- Embarazo con diabetes gestacional (se desencadena durante el embarazo como consecuencia de la influencia de las hormonas placentarias. La mayoría de las veces el tratamiento consiste en una dieta muy estricta que suprime el consumo de hidratos de carbono).

Factores uterinos

Las causas uterinas recurrentes son:
- Miomas uterinos (más comúnmente llamados fibromas, son tumores benignos).
- Cuello uterino incompetente.
- Mala implantación de la placenta.
- Malformaciones del útero.

Factores emocionales

La ansiedad y la tensión que experimenta la madre pueden predisponer el parto prematuro, ya que el cuerpo tiene diversas reacciones ante el estrés durante el embarazo. Las más comunes son:
- El cerebro envía señales que activan la secreción de hormonas que harán reaccionar al organismo,

como la adrenalina y noradrenalina, que contraen los vasos sanguíneos y reducen el nivel de oxígeno en el abdomen, afectando al bebé.

- Aceleración del ritmo cardiaco.
- Aceleración de la respiración para aportar más oxígeno al organismo.
- Aumento de la presión sanguínea.
- Aumento del flujo sanguíneo al cerebro y los músculos.
- Sudoración generalizada.
- Desviación del flujo sanguíneo del abdomen a los músculos, acción que entorpece y/o frena el proceso digestivo.
- Incremento de la tensión muscular.
- El bebé recibe las señales provenientes del organismo de su madre mediante impulsos.

Es importante que la madre reflexione, se ayude y descubra si sufre estrés. El doctor Calvin Hobel, del Cedars Sinai Medical Center de Los Ángeles, propone una guía para que las mujeres embarazadas detecten los síntomas de este trastorno:

	No	*Sí*	*A veces*
Me siento tensa.			
Me siento nerviosa.			
Me siento preocupada.			
Me siento asustada.			
Se me dificulta manejar los problemas.			
Siento que las cosas no andan bien.			

	No	Sí	A veces
No puedo controlar mi vida.			
Me preocupa que mi bebé nazca con un problema.			
Me preocupa la posibilidad de perder a mi bebé.			
Me preocupa el parto.			
Me preocupa no poder pagar mis cuentas.			
Estoy separada de mi pareja.			
Tengo mucho trabajo.			
Tengo problemas en el trabajo.			
Tengo problemas con mi pareja.			
Sufro de abuso físico.			

Si se respondiste "sí" o "a veces" a más de tres preguntas, significa que se sufres estrés; por tanto, se recomiendan las siguientes precauciones:

- El primer paso es reconocerlo y poner atención a las señales físicas, emocionales y de comportamiento (ansiedad, nerviosismo, dificultad para conciliar el sueño, entre otras).
- Después es necesario darse un "tiempo fuera", suspendiendo la actividad que genera angustia. La respiración pausada y controlada, así como frenar cualquier pensamiento negativo que alimente la ansiedad, son acciones de gran ayuda.
- Además, es importante encontrar y analizar el elemento detonante del estrés. ¿Qué es lo que dispara la sensación?, ¿hay algo que se puede hacer para mo-

dificar la situación estresante? Si no es así, ¿qué estrategia puede ayudar disminuirlo? (respirar profundo, dar un paseo, escuchar música, pintar, escribir o cualquier actividad que distraiga la atención en ese momento).

Lo ideal es evitar que el estrés aumente. A continuación presento algunas sugerencias:

- Mantener una actitud positiva.
- Buscar actividades que provoquen la risa.
- Fijar metas realistas en el trabajo y el hogar.
- Realizar actividades placenteras (*hobbies*, deportes, actividades lúdicas y de entretenimiento).
- Utilizar técnicas o métodos de relajación como yoga.
- Hacer ejercicio diariamente.
- Llevar una alimentación sana y equilibrada.
- Evitar el consumo de alcohol, cafeína y tabaco.

Edad materna

La edad en que una mujer se embaraza influye en la posibilidad de un parto prematuro: si es menor de dieciséis años o mayor de 35 la incidencia crece.

Factores fetales

Las causas fetales más frecuentes son:

- Embarazo múltiple.
- Malformaciones cardiacas.
- Malformaciones cromosómicas.
- Infecciones intrauterinas, como la que provoca la rubeola.

Factores sociales

Existen factores sociales que pueden propiciar un parto prematuro, como un bajo nivel socio-económico, malnutrición de la madre o exceso de actividad física.

Hábitos tóxicos maternos

Los siguientes hábitos aumentan los riesgos de tener un parto prematuro, así como la posibilidad de que el bebé nazca con un peso inferior al adecuado (retraso en el crecimiento intrauterino):

- Tabaquismo.
- Alcoholismo.
- Drogadicción.

¿Cómo se puede prevenir el parto prematuro?

La premisa fundamental para evitarlo es el reposo y la medicación úteroinhibidora endovenosa u oral, según la gravedad de cada caso. Si es imposible detener el parto, es de suma importancia que éste se realice en un centro hospitalario con la infraestructura y elementos necesarios para la solución de cualquiera de las complicaciones que pueden presentarse.

Concepto del bebé prematuro

La duración del embarazo se considera normal cuando el parto se produce entre las semanas 37 y 42 (lo que se conoce como "parto a término"). Cuando un bebé nace antes de las 37 semanas se le llama parto "prematuro o pretérmino".

El prematuro nace con inmadurez de sus órganos y sistemas como el respiratorio (bronquios y pulmones), autónomo (control de temperatura), digestivo y metabólico, entre otros. Esto lo hace más vulnerable a enfermedades y lo sensibiliza a agentes externos como la luz, el ruido y otros factores. El grado de inmadurez depende del tiempo de gestación; entre menos semanas de gestación, mayor inmadurez tendrá el bebé.

No todos los bebés prematuros enfrentan los mismos problemas, ni requieren el mismo apoyo hospitalario. Cuando el bebé necesita apoyo adicional para sobrevivir fuera del útero materno debido a niveles agudos de inmadurez, es ingresado a la Unidad de Cuidados Intensivos Neonatales (UCIN), donde se le proporciona la ayuda y cuidados necesarios; mismos que se enfocan en tres funciones esenciales: control de temperatura, respiración y alimentación. En la unidad, el bebé es colocado en una incubadora o cuna térmica, cuyo fin es mantener estable su temperatura. Se le conecta a un respirador o ventilador para facilitar esta tarea vital, y se le alimenta mediante una sonda, insertada en una vena o desde la nariz hacia el estómago.

Es probable que un bebé prematuro sufra ictericia (niveles altos de bilirrubina que dan una tonalidad amarillenta a pies y ojos). En ese caso, se colocará, además, bajo la luz de unas lámparas especiales que ayudan al organismo a eliminar la bilirrubina.

Sin embargo, cuando el bebé sólo requiere tiempo para ganar peso, será ingresado a la Unidad de Cuidado Neonatal (UCN) donde será cuidado y atendido. De su condición dependerá que supere esta etapa dentro o fuera de la incubadora.

Según la semana de gestación en que nazca, el bebé tendrá una apariencia física distinta, un mayor o menor riesgo de complicaciones y diferentes expectativas de vida. Asimismo, los cuidados que se deben proporcionar también cambian. De acuerdo con lo anterior, los bebés prematuros se han clasificado en los siguientes grupos:

Bebés moderadamente prematuros

En este grupo se encuentran aquellos que nacen entre la semana 35 y 37 de edad gestacional (de tres a cinco semanas antes de la fecha probable de parto). Generalmente pesan entre 1.700 y 3.400 kilos, y miden entre 43.2 y

45.7 centímetros. La tasa de sobrevivencia para estos bebés es de 98 a 100 por ciento.

Bebés muy prematuros

En este grupo se encuentran los que nacen entre la semana 30 a 34 (seis a diez semanas antes de la fecha probable de parto). Generalmente pesan entre 1.000 y 2.500 kilos, y miden entre 35.6 y 46 centímetros. La tasa de sobrevivencia para estos bebés es de 98 por ciento.

Bebés prematuros extremos

En este grupo están aquéllos que nacen entre la semana 26 y 29 (11 a 14 semanas antes de la fecha probable de parto). Generalmente pesan entre .750 y 1.600 kilos, y miden entre 30.5 y 43.2 centímetros. Para estos bebés la tasa de sobrevivencia es variable: los nacidos en la semana 26 y que pesan cerca de 1.000 kilo, tienen de 90 a 95 por ciento de posibilidades de supervivencia. Los que nacen en la semana 28 a 29 tienen hasta 98 por ciento. Cifras como éstas justifican por qué se realizan esfuerzos intensivos por prolongar o detener un trabajo de parto prematuro, ya que cada hora que el bebé está dentro del útero materno aumenta su esperanza de vida.

Bebés micro prematuros

En este grupo se encuentran los que nacen antes de la semana 26 de gestación (más de 14 semanas previas a la fecha probable de parto). Generalmente pesan menos de .750 kilos y miden menos de 30 centímetros. Menos de cinco por ciento de los bebés prematuros cae dentro de este grupo, y la sobrevivencia es variable: los que nacen cerca de la semana 26 y pesan alrededor de .750 kilos, tienen hasta 50 por ciento de posibilidades de vida. Para los que nacen antes de la semana 25 las probabilidades son menores.

Crecimiento del bebé prematuro

Los bebés prematuros tienen una curva de aumento de peso más lenta que un bebé de término, debido a que ingieren cantidades muy pequeñas de leche. Cuando el estado del bebé no es de alto riesgo y puede ser alimentado, comienza con un centímetro cúbico de leche en cada toma. En cambio, cuando su condición es muy grave, quizá sea necesario que permanezca en ayuno y sea alimentado únicamente con suero.

Sin embargo, aún más importante que el aumento del peso es la valoración del tono muscular, el estado de alerta y la respuesta a distintos estímulos. La gran mayoría de los padres de bebés prematuros desconocen esto, por lo que su angustia aumenta al ver que su hijo no come y, por tanto, no gana peso.

La paciencia es una herramienta de gran ayuda en este proceso; los padres necesitan esperar, permanecer tranquilos y saber que los bebés prematuros son especiales y tienen su propio ritmo de adaptación, desarrollo y crecimiento.

¿Qué verás en tu bebé?

El niño prematuro tiene un aspecto frágil. Su piel es todavía inmadura y muy delgada; a través de ella pueden verse los vasos sanguíneos y se producen con facilidad hematomas o huellas de sangre llamadas equimosis.

La mayoría de los bebés tienen una fina capa de vello muy suave (lanugo) que les cubre la mayor parte del cuerpo; ésta desaparece conforme se desarrollan en el útero. Los bebés prematuros nacen con este vello, aunque lo pierden en cuanto alcanzan mayor madurez. Su cabeza puede parecer desproporcionadamente grande para el tamaño del cuerpo, y sus brazos y piernas son bastante largos como consecuencia de la poca grasa y músculo que envuelve los huesos. Sin embargo, conforme crecen y se desarrollan, su cuerpo adquiere un aspecto más proporcionado.

Frecuentemente nacen con los ojos cerrados, los abren por breves momentos y los mantienen cerrados a pesar de que sus padres les hablen. No siguen objetos, ni fijan la mirada, y tal vez sólo los abran como reacción ante algún ruido fuerte. Con el tiempo, conforme maduran, los abren normalmente.

También sus orejas están poco desarrolladas, muy pegadas a la cabeza y con poco o nada de cartílago. Si nacen con las orejas plegadas o dobladas, es posible que se mantengan así durante algún tiempo, lo cual no debe preocupar pues conforme crezcan sus orejas formarán cartílago y posteriormente se enderezan al ser tocadas.

También, un niño muy prematuro tiene un pene muy pequeño y es posible que los testículos no hayan descendido todavía a las bolsas; una niña muy prematura tiene un clítoris prominente debido a que los labios circundantes aún no se desarrollan.

Es frecuente que el bebé prematuro tenga poca movilidad y que cuando se mueva sus acciones sean bruscas, sobresaltadas y sin control sobre su cuerpo; sucede porque sus respuestas y coordinación aún son inmaduras.

El niño prematuro tiene poco tono muscular al nacer, pero a medida que duerme más, come y gana peso, su tono muscular (si no tiene daño neurológico) y el color de su piel (si no hay problemas respiratorios) cada vez se parecerán más a las de los niños de término.

Desarrollo del sistema autónomo

Éste es uno de los primeros sistemas que llegan a la madurez completa en las 38 a 40 semanas de gestación. Un bebé saludable está listo para tomar la operación completa del sistema vital independiente de su madre al nacer; puede llevar a cabo todas las funciones metabólicas como regular su temperatura, puede respirar y realizar funciones cardiovasculares, gastrointestinales y renales. Para los bebés prematuros, lograr que sus sistemas trabajen de manera autónoma requiere de tiempo y madurez, por lo que es necesario ayudarlos médicamente.

Entre las funciones alteradas que sí puedes observar en tu bebé prematuro se encuentran:

Control de temperatura. La temperatura se regula por mecanismos químicos y metabólicos de reacciones físicas que se manifiestan como un temblor; en general, estos mecanismos del sistema autónomo maduran entre las 36 y las 38 semanas después de haber sido concebidos. Los bebés prematuros están metabólicamente subdesarrollados y no pueden responder al frío con temblor. Poder regular y mantener la temperatura es fundamental para la supervivencia; por ello los bebés prematuros requieren de una incubadora.

Desarrollo respiratorio. Los bebés deben respirar al momento de nacer. Las apneas (pausa en la respiración de 15 a 20 segundos, o más, que a veces induce cambios de color azul —cianosis— o palidez en el niño), y las bradicardias (frecuencia cardiaca anormalmente lenta), son comunes en los prematuros: cuando a un bebé le falta oxígeno por apnea el ritmo cardiaco baja. Generalmente, se recuperan espontáneamente. Para aminorar estos episodios se requiere medicación.

Desarrollo neurológico. A este respecto, es muy importante observar, en el sistema motor, cambios en el tono muscular (fuerza de los músculos para realizar movimientos). Es necesario estar alerta a su postura y movimientos ya que, a pesar de ser un bebé prematuro muy pequeño, debe flexionar sus brazos y piernas suavemente, así como dar pequeños saltos y sacudidas con los que cambie de postura. Esto es evidencia de un desarrollo neurológico adecuado. Cuando un bebé, sea de término o prematuro, está inmóvil o "enconchado" todo el tiempo, significa que existe algún problema neurológico.

Desarrollo fisiológico. Es preciso observar si la respiración es normal, acelerada o lenta, si tiene apneas con palidez o cianosis (cambios en la coloración de la piel por falta de oxígeno). La frecuencia cardiaca que marca el monitor es útil; sin embargo, puede alterarse o variar transitoriamente debido a los cambios de postura del bebé, que impactan en el sensor. Estas variaciones son normales y, por tanto, es importante poner atención a la apariencia del bebé.

Por otra parte, cuando los médicos, especialistas y enfermeras se enfocan en salvar al bebé, olvidan sus necesidades emocionales y lo distancian de sus padres. Esta separación provoca una terrible angustia, en especial en el bebé, quien experimenta sus propios ciclos de dolor, miedo y recogimiento que pocas veces son tomados en cuenta.

Durante esta separación, el vínculo madre-hijo puede quedar dañado. Por ello es de suma importancia que los padres se acerquen a su bebé lo antes posible para acariciarlo y decirle: "Aquí estamos, somos tus papás", y así empezar a darle un lugar en sus vidas y su corazón. Conforme sea médicamente permitido amamantarlo (aunque sea por sonda), tocarlo, acunarlo, acariciarlo, estimular el contacto piel con piel (que favorece la sensación de "normalidad", dentro de lo que cabe), y hablarle cada vez más, el vínculo se fortalecerá. Esta maravillosa expresión de amor y cuidados contribuye a la curación física y psicológica, tanto del bebé como de los padres. Con ella disminuye la angustia ya que se establece una relación emocional que produce seguridad, sosiego, consuelo, agrado y placer; facilita que el recién nacido y los padres aprendan a conocerse, a reconocerse por el tacto, el olfato y la voz.

Las caricias, los apapachos y el masaje (tacto) son tan necesarios como los cuidados médicos, pues el contacto está impregnado de una gran dosis de amor. En este acercamiento es preciso ser muy cuidadosos; para tocarlo se debe considerar la condición médica y fisiológica, así como la inmadurez del bebé. Entre menos semanas de gestación tenga, más gravemente enfermo e inestable estará, y en esta condición NO se le debe estimular para nada, ya que toda su energía está puesta en sobrevivir.

Existen señales comunes que los padres pueden identificar y que son consideradas signo de condiciones graves e inestabilidad:

- Está alerta, duerme poco y presenta agitación motora continua.
- Sufre cambios en la coloración de la piel y/o alteraciones respiratorias.
- Presenta palidez o piel moteada.
- Manifiesta inquietud y/o agitación.
- Tiene flacidez.

Para estar en situación crítica, un bebé no refleja necesariamente estas señales al mismo tiempo; por ello, los padres deben considerar toda la información, la que ellos mismos registren y la que aporte la enfermera; si al llegar a visitar al bebé se observa alguna señal de las anteriores, de inmediato se debe notificar al médico quien podrá aclarar si es un estado recién iniciado, si es transitorio o si se ha presentado de manera constante; también recomendará si el bebé puede ser tocado o no, y qué otros cuidados se deben tener con él. Sin embargo, a pesar de que el bebé presente alguna de las señales descritas, generalmente resulta positivo el contacto táctil, aunque cabe decir que es necesario aprender a identificar los momentos cuando se debe suspender.

Es importante aprender a trabajar en equipo con el médico y las enfermeras a cargo. Esta relación facilita el aprendizaje y así los padres, cuando saben reconocer las alteraciones anormales del bebé y participan con el grupo médico de la vigilancia y detección oportuna de los síntomas, se convierten en una verdadera ayuda para su hijo y sus acciones e intervención son pertinentes.

En muchas ocasiones, por el estado médico del bebé, los padres no deberán hacer nada, lo cual genera un sentimiento de inutilidad; en estos casos, las más de las veces sólo podrán acompañarlo (cuando está muy inestable no se le puede tocar). Sin embargo, en condiciones estables la presencia, la voz y el tacto son fundamentales pues constituyen demostraciones de amor.

Prevenir la inestabilidad y el estrés es el propósito primordial y supremo en cualquier intervención con bebés frágiles, por lo que resulta esencial reconocer y respetar las señales del bebé.

Las reacciones de estrés que indican pérdida de control en el prematuro de alto riesgo y bebés graves durante su proceso de crecimiento y desarrollo motor son las siguientes: brazos en alto como saludando, dedos extendidos, encorvarse, hacer muecas, movimientos desorganizados, sacar la lengua, cabeza chueca, hipotonía.

Para ayudarlo es necesario mantener las extremidades flexionadas, fajarlo, acunarlo o anidarlo boca arriba o de lado, acariciarlo con suavidad.

Para disminuir las reacciones fisiológicas al estrés. Es necesario adecuar el entorno, disminuir al máximo el ruido, bajar la luz, hablarle con tono suave y manipularlo sólo si es necesario; de ser posible, flexionarle las extremidades para que se sienta acunado.

Para disminuir las reacciones motoras al estrés. Acunarlo o anidarlo boca arriba o de lado, mantenerle las extremidades flexionadas, fajarlo, acariciarlo suavemente y ofrecerle el dedo o un chupón para succionar permitiendo el movimiento mano-boca.

Para disminuir las reacciones al estado de estrés. Permitir que duerma lo más posible; si es necesario despertarlo suavemente, sacarlo con delicadeza de la incubadora (si es permitido) y darle calor y soporte arrullándolo apaciblemente.

Las señales de autorregulación que indican que el bebé está bien organizado son las siguientes: doblar las rodillas, poner las manos en la cara, chuparse el dedo, agarrarse la mano o el pie, cerrar las manos, pegar su cuerpo en la esquina de la incubadora buscando límites y contención y, cuando cambia a estados de comportamiento de menor actividad como el sueño ligero, cerrar los ojos. Si el bebé aún no logra hacerlo por sí mismo, es importante que los padres lo ayuden a organizar su comportamiento neurológico ante las diferentes reacciones; el grado de ayuda o intervención siempre estará determinado por la gravedad del bebé. Nuevamente, el equipo médico es quien dará la mejor recomendación.

Vínculo en Unidad de Cuidados Intensivos Neonatales

Aunque los padres no puedan abrazar a su bebé inmediatamente, es posible crear un maravilloso vínculo, principalmente con la madre, pues existe apego psicológico entre ambos desde la gestación.

El vínculo no es todo o nada; aunque el proceso empieza unos días o semanas después, es posible establecerlo sin importar que al principio no sea tan fuerte o satisfactorio, pues en muchos casos el grupo médico, por cuestiones de salud, impide abrazar al bebé.

Unidad de Cuidados Intensivos Neonatales (UCIN)

*L*a unidad de cuidados intensivos neonatales es el lugar donde se proporciona la vigilancia, el control y los cuidados para el tratamiento de los recién nacidos prematuros y a término con problemas que pueden ser graves.

La primera vez que los padres entran a la UCIN posiblemente se alarmen al ver que de su hijo salen tubos y sondas, y que está rodeado por cables, aparatos y máquinas. Deberán pedirle al médico o a la enfermera que les explique la función de cada elemento; saberlo les permitirá sentirse más tranquilos. Si los médicos lo permiten, ayuda mucho colocar dentro de la incubadora uno o dos juguetes blandos o de sonaja y cobijitas para generar un ambiente cálido y amable.

El equipo

La mayoría de los tubos, cables y aparatos que el bebé tiene conectados sirven para monitorear el estado de sus signos vitales. Los utilizados con más frecuencia son:

- Infusiones intravenosas y sondas, que sirven para alimentarlo.
- Catéteres en los vasos sanguíneos del ombligo para obtener muestras de sangre sin causar dolor.
- Ventilador o respirador que le permite respirar artificialmente a través de un tubo que facilita la llegada de aire a los pulmones (tubo endotraqueal).
- Monitores que muestran sus signos vitales. Son indoloros y están pegados a la piel, dan información precisa y continua a los médicos y enfermeras de la situación del bebé avisándoles, mediante alarmas de luz y sonido, cuando existe alguna alteración. Los monitores utilizados son:

Monitor de frecuencia cardiaca y respiratoria. Se conecta mediante cables que unen al aparato con la piel del bebé (en el pecho, abdomen y brazos o piernas). Indica el ritmo cardiaco y respiratorio.

Oxímetro de pulso. Mide continuamente la oxigenación de la sangre y permite regular la cantidad de oxígeno del bebé. Para utilizarlo, se coloca un sensor con luz en la palma de la mano, en el pie, el dedo o la muñeca, que se sujeta con una cinta adhesiva. El sensor está unido al aparato mediante un cable y en ocasiones forma parte del monitor de frecuencia cardiaca y respiratoria.

Monitor de oxígeno y/o dióxido de carbono transcutáneo. Mide de forma continua la cantidad de oxígeno y dióxido de carbono de la piel mediante un sensor. Generalmente se calienta y por ello es frecuente que la zona donde se colocó quede enrojecida al retirarlo.

Monitor de presión sanguínea. Éste también puede ser parte de un monitor de frecuencia cardiaca-respiratoria y pulsioximetría; mide la presión arterial periódicamente mediante una especie de mango sujetado al brazo o pierna del bebé. En ocasiones es necesario colocar un catéter (tubo pequeño) en una de las arterias para una medición más exacta.

Monitor de temperatura. Sirve para medir la temperatura del niño y regular el calor de la incubadora o cuna térmica.

Monitor de apnea. Informa sobre la existencia de un paro respiratorio mayor a 15 segundos.

Unidad de Ciudados Intensivos Intermedios (UCI), o de Crecimiento y Desarrollo

La Unidad de Cuidados Intensivos Intermedios es la sala de neonatología donde ingresan los bebés cuando salen de la UCIN y sus sistemas orgánicos se han desarrollado lo suficiente como para mantenerse con vida sin necesidad de tantos aparatos. En esta sala dejan el respirador, los tubos y cables: no más alarmas ni monitores.

Sin embargo, y dependiendo de cada caso, el bebé puede ingresar necesitando cierto apoyo especializado como la incubadora, utilizar oxígeno, ser alimentado por sonda y estar vigilado por el equipo de enfermeras. Muchos bebés, aunque tienen grandes mejorías, aún necesitan apoyo hasta fortalecerse más y llegar a un peso aproximado, más o menos de dos kilos.

Después de pasar por esta sala de crecimiento y desarrollo para alcanzar el peso, aprender a succionar, controlar la temperatura y ya no tener tantos periodos de apnea (estos pueden continuar por lo que siempre se debe vigilar) los bebés son dados de alta. Dependiendo de su condición pulmonar salen con o sin apoyo de oxígeno y con una medicación que deberá seguirse al pie de la letra; por tanto, la responsabilidad en casa es enorme y desgastante.

¿Qué posibilidades tiene el bebé de sobrevivir?

Las posibilidades de que un niño prematuro sobreviva están determinadas por factores como la edad gestacional, el peso de nacimiento, las complicaciones de salud tras el alumbramiento (respiratorias, cardiacas, infecciosas, ciertas malformaciones, entre otras). De éstos, el factor más importante es la edad gestacional, pues establece la madurez de los órganos de los diversos sistemas del cuerpo.

En la actualidad se considera adecuada la expectativa de vida de un recién nacido de 23 a 24 semanas en adelante. No obstante, con base en cada caso, el médico es quien calcula e informa a los padres el pronóstico vital del bebé, considerando los factores que concurren en él.

Bebés nacidos antes de las 28 semanas de gestación

Menos del uno por ciento de los bebés nace en forma tan prematura, pero es este grupo el que, por la inmadurez de los diversos sistemas, mayores complicaciones y retos enfrenta. La mayoría de estos bebés nace con un peso muy bajo, generalmente menor a un kilo, lo común es que pesen ente 600 y 950 gramos; por tanto, necesitan tratamiento con oxígeno, surfactante y asistencia respiratoria mecánica para poder respirar. Su inmadurez les impide succionar, tragar y respirar al mismo tiempo por lo que se les debe alimentar por vía intravenosa o por sonda (si toleran el alimento) hasta que desarrollen las habilidades necesarias.

A menudo su llanto es muy débil y cuando están intubados es imposible escucharlos; por su tamaño, tienen poco tono muscular, casi no se mueven y duermen la mayor parte del día. Los micro bebés tienen un alto riesgo de desarrollar una o más complicaciones, como displasia pulmonar, retinopatía, síndrome de dificultad respiratoria, entre otras. Sin embargo, la mayoría de los nacidos con 26 semanas de gestación cumplidas, logra sobrevivir (sucede en cerca de 80 por ciento de los nacidos a las 26 semanas, y en alrededor de 90 por ciento de los nacidos a las 27), aunque tal vez requieran permanecer más tiempo en la UCIN. Lamentablemente, aproximadamente 25 por ciento de estos bebés desarrolla incapacidades permanentes serias, y 50 por ciento puede tener problemas de aprendizaje.

Bebés nacidos entre las 28 y 31 semanas de gestación
Por lo general pesan entre 900 gramos y 1.800 kilos y tienen entre 90 y 95 por ciento de probabilidades de sobrevivir. Si durante el embarazo a la madre se le suministraron "esteroides" para ayudar a la maduración de los pulmones del bebé, éste tendrá menos necesidad de asis-

tencia respiratoria; pero si no fue así, requerirá tratamiento con oxígeno, surfactante y asistencia respiratoria mecánica. A los bebés "más" fuertes con menos complicaciones y necesidades auxiliares, se les puede alimentar ya sea con fórmula o leche materna por sonda gástrica, la cual se introduce al estómago a través de la nariz o la boca. Hay recién nacidos a los que se les alimenta por vía intravenosa.

Algunos de estos bebés tienen mayor movilidad, aunque sus movimientos pueden ser bruscos y el llanto débil; pueden abrir los ojos y permanecen despiertos y alertas durante periodos breves; además, como reflejo, pueden agarrar el dedo de las personas cuando les tocan la mano.

Adicionalmente, es común el riesgo de sufrir diversas complicaciones, pues los bebés de muy bajo peso (menos de 1.500 kilos) están expuestos a tener serias incapacidades.

Bebés nacidos entre las 32 y 33 semanas de gestación

Aproximadamente 95 por ciento de estos bebés sobrevive. La mayoría pesa entre 1.500 y 2.000 kilos. Algunos pueden respirar por sí mismos, mientras que otros necesitan oxígeno; unos pueden succionar el pecho o ser alimentados con biberón; otros no, como aquéllos que presentan dificultades respiratorias y que deben ser alimentados por sonda. Los bebés nacidos en esta etapa tienen menos riesgos de manifestar incapacidades graves generadas por su condición de nacimiento, aunque pueden tener problemas de aprendizaje.

Bebés nacidos entre las 34 y 36 semanas de gestación

Los bebés prematuros casi a término suelen ser más sanos que los que nacen en las fases anteriores; además, tienen casi las mismas probabilidades de supervivencia que los bebés nacidos a término. Generalmente pesan entre 1.900 y 2.300 kilos; sin embargo, son más delgados y frágiles que aquéllos que cumplieron el periodo de gestación. Pueden presentar dificultades para respirar y comer, para regular la temperatura del cuerpo e ictericia; sus problemas suelen ser leves y logran superarlos rápidamente.

A la mayoría se les puede amamantar o alimentar con biberón, aunque algunos (especialmente los que tienen leves dificultades respiratorias) deberán ser alimentados por sonda por un breve periodo. Se estima que a la semana 35 de gestación, el peso del cerebro ha alcanzado el 60 por ciento en relación con el peso de la masa encefálica de los bebés que llegan a término. Si nacen entre las 34 y 36 semanas, existen pocas probabilidades de manifestar incapacidades graves, aunque pueden presentarse problemas leves de aprendizaje.

La caricia de amor

*E*l sentido del tacto del recién nacido ha sido estimulado constantemente durante su vida intrauterina. Las caricias y el contacto piel con piel con la madre, el padre o los hermanos, son una oportunidad magnífica para estimular la piel, demostrar amor y favorecer el desarrollo físico, emocional y psicológico del pequeño.

Diversos estudios han comprobado que los bebés prematuros que son acariciados con regularidad y que escuchan la voz de sus padres en UCIN, mejoran y se desarrollan más rápidamente que aquéllos que no lo son.

Beneficios

Además de los vínculos afectivos y emocionales, la caricia ofrece beneficios fisiológicos. Las siguientes son sólo algunas repercusiones positivas en el organismo del pequeño prematuro:

Sistema nervioso central. El tacto es el sentido que el recién nacido utiliza para recibir información del mundo exterior (de ahí que tienda a coger y tomar todo). La caricia favorece su capacidad para recibir estímulos y aumenta el umbral de percepción del bebé.

Sistema inmunológico. Este sistema es el guardián del organismo, se encuentra en cada parte del cuerpo. Mantiene un control permanente de los microorganismos, toxinas, partículas extrañas y células enfermas. Diversos estudios vinculan el estrés y la inseguridad emocional con la disminución de las defensas; es por ello que la acción relajante de la caricia fortalece este sistema.

Sistema gastrointestinal. Cuando el bebé sufre cólicos o tiene gases, las caricias pueden contribuir al alivio de las molestias e incomodidades.

Sistema circulatorio. Las caricias hacia adentro (es decir, de los extremos del cuerpo en dirección al centro), facilitan el retorno de la sangre al corazón y producen un efecto tonificante, mientras que las caricias hacia fuera (es decir, del centro hacia los extremos), producen un efecto relajante y favorecen la oxigenación y circulación en las extremidades.

Sistema muscular. La caricia disuelve nudos de tensión física y emocional. Aunque las condiciones no hayan sido favorables y no se haya podido establecer una vinculación inicial, la caricia es una vía para potenciar el vínculo.

Las caricias deberán ir acompañadas por una voz suave y una mirada amorosa; estos elementos se entrelazan y se vuelven un bálsamo que favorece tanto a los padres como al bebé; los beneficios trascienden los efectos fisiológicos y llegan hasta las fibras más sensibles del sistema emocional, mismas que son estimuladas y fortalecidas. Así es posible crear una base sólida de confianza, seguridad y aceptación emocional que propiciará el crecimiento equilibrado en todos los niveles de desarrollo del bebé prematuro.

Iniciar las caricias de amor: mamá o papá

Antes de empezar una rutina de caricias es necesario prestar atención a los sentimientos y el ánimo. Para lograr un estado de relajación y no transmitir emociones negativas y tensión al bebé, se puede hacer lo siguiente: cierra los ojos y respira profundamente hasta llenar tus pulmones, permite que el vientre se infle. Lentamente, deja salir el aire por la nariz, vuelve a inhalar y exhala, siempre de la misma forma. Repite este paso hasta alcanzar el estado deseado. Los padres, con su actitud y trato, son quienes reducen de manera más eficiente el estrés de su bebé.

Es importante revisar el entorno del bebé y preguntarse qué cambios pueden hacer que se sienta más relajado, cómodo y menos invadido. A veces una pequeña modificación en la luz o el sonido hace la diferencia.

La primera reacción del bebé ante el contacto o toque de sus padres o de otra persona puede generar estrés; por ello es necesario ir despacio, observar sus actitudes, escucharlo, conocer sus gestos y aprender lo que comunica.

Las señales de estrés en los prematuros —que incluyen apnea y bradicardia— pueden atemorizar a tal grado a los padres que se llenarán de excusas para evitar tocar a su bebé. Sin embargo, en ese momento es importante recordar lo importante que es para todos la cercanía; el bebé se fortalece con el calor de sus padres, con sentirse arropado por su cuerpo, con las caricias, besos, palabras, y expresiones de alegría y ternura que le prodigan; además, "estar" es la oportunidad para crear una relación única y especial con el bebé.

¿Cómo inicia la sesión de caricias?

Siempre, antes de comenzar, es necesario pedirle permiso al bebé, comunicarle que será tocado; no importa que no comprenda el significado de las palabras, hacerlo es una muestra de respeto y consideración pues, debido a su condición, es constantemente manipulado por el equipo médico.

Cuando el bebé está hospitalizado en condiciones graves, con respirador, tubos y cables que lo circundan, la manera más adecuada de iniciar el contacto consiste en sólo dejar que las manos, descansen sobre su cuerpo con suavidad y sin ejercer presión, después se puede cubrir con ellas su cabeza. En este proceso es necesario observar sus reacciones para inferir si se siente cómodo o no. Al notar cualquier signo de incomodidad se debe suspender el contacto; esto, además, le transmitirá el mensaje de que es respetado.

Tras el nacimiento, las enfermeras son quienes más conocen al bebé; por tanto, pueden ayudar a que los padres aprendan a leer su lenguaje corporal. Para tal fin, será necesario mantener una comunicación estrecha con ellas. Nuevamente, si durante el contacto el bebé da una señal que interpretas como de alerta estresante, será necesario suspender el estímulo de forma lenta y tranquila para evitar un cambio abrupto; esto dará seguridad al bebé, y una acción contraria reforzará sus miedos.

Los cuerpos de los prematuros son lastimados durante los diferentes procesos médicos; así que es necesario revisar qué áreas son más susceptibles al dolor. Frecuentemente pies, cabeza, pecho y brazos son muy sensibles pues es donde se colocan los sensores o donde se aplican las inyecciones para análisis clínicos, o la venoclisis, por ejemplo. Al principio es difícil acceder a estas zonas porque están ocupadas con material médico; cuando pueden tocarse, se recomienda acunarlas como se haría con algo sumamente delicado. Relájate respirando profundamente desde el estómago; concéntrate en la calidez y el amor de tu corazón, permite que recorra la longitud de los brazos hasta llegar a tus cálidas y cariñosas manos, acompaña la acción con palabras suaves y, si es posible, canta para él. Esto lo calmará y le dará confort.

En tono amoroso dile que ha sido lastimado en esas áreas, que por eso siente dolor, que para él ha sido muy fuerte y que tú vas a ayudarlo, que va a estar bien y el dolor pasará; mientras hablas, acarícialo de arriba hacia abajo usando una palabra o frase clave como "relájate", o "el dolor pasará"; cuando el bebé responda y se relaje alaba su esfuerzo. Repite el proceso en todas tus visitas al cunero.

Contacto visual

Para el bebé prematuro es difícil tener contacto visual pues aún no controla su mirada; necesita ayuda. Los padres deben evitar abrumarlo porque eso lo estresa. Lo mejor es hacer lo siguiente: si es posible, bajar la intensidad de la luz, colocarlo en un lugar donde pueda ver a quien lo carga. Ya en ese espacio de intimidad, los padres se introducen en su campo de visión. Deben observar sus reacciones pues probablemente esté encerrado en sí mismo o estresado; si esto sucede, pueden quitarse suavemente de su vista por unos segundos, pasar una mano sobre su cara o cambiarlo de postura. Conforme vaya creciendo, su habilidad para comunicarse visualmente se desarrollará también. La paciencia es fundamental en esta etapa, nunca se debe forzar el contacto visual; un lento y continuo estímulo fortalecerá el vínculo hasta lograr una conexión intensa y poderosa.

El masaje en casa

Antes de empezar es importante cuidar todos los elementos del espacio donde se dará el masaje: luz, temperatura, atmósfera, entre otros. Esta actividad puede iniciarse en cualquier momento. Al cargar al bebé, se acuesta boca abajo sobre uno de tus antebrazos; con la mano libre, se acaricia, de forma descendente el cuello, espalda, brazos, manos, piernas y pies del pequeño. El recorrido inicia en la nuca y termina en los dedos de los pies; después, empieza en el omóplato y sigue hasta llegar a la mano, manteniendo el brazo del bebé hacia adelante y la palma hacia adentro; por último, con el pulgar, el índice y el medio, se recorre suavemente la columna vertebral. Se recomienda repetir cada paso de tres a seis veces y aplicarlo en el lado izquierdo y derecho del cuerpo. En todas las interacciones es fundamental atender las reacciones del bebé.

La rutina del toque amoroso en casa lleva al masaje, el cual da estructura a las caricias hasta que se automatizan los movimientos y el recorrido; así se logra establecer una comunicación íntima con el bebé.

Es importante saber que no se trata de dar un masaje "perfecto", sino de compartir con el bebé momentos únicos de tranquilidad y comunicación. Nuevamente, antes de iniciar el contacto se debe practicar el ejercicio de control de la respiración para acceder a un estado relajado, donde las manos serán el vehículo que transmita calor, paz y profundo amor.

Siempre se debe pedir permiso cariñosa y respetuosamente antes de tocarlo. Su decisión, expresada con movimientos o gestos, siempre debe aceptarse, quizá no es el momento más adecuado. Sin embargo, es importante insistir transcurrido un tiempo prudente, hasta que el contacto se logre. Lo ideal es que el masaje se convierta a un tiempo en un hábito, y en un espacio íntimo entre los padres y el bebé.

Posturas

Los masajes, además, se pueden realizar en el piso sobre una colchoneta o cobija doblada, así hay firmeza y seguridad para los involucrados. Para iniciar, colócate en una postura cómoda con libertad de movimiento.

Las posturas en las que se puede dar masaje son:

- Sentada sobre la colchoneta con las piernas abiertas, flexionadas por las rodillas y unidas por las plantas de los pies, manteniendo un espacio suficiente entre las piernas donde se pueda colocar una manta para formar una cuna.
- Sentada con las piernas cruzadas, con una manta frente a ti sobre la colchoneta. El bebé se acuesta sobre ella con las piernas hacia ti.

Fase de preparación del masaje

Una vez que hayas elegido la postura más cómoda para ti, acuesta al bebé, vestido, boca arriba. Cúbrelo con una manta ligera, pídele permiso. Manteniendo sus brazos cerrados, reposa suavemente tus manos sobre ellos para acunarlo, darle calor, confianza y sentido de peso. Muévelo suavemente de un lado al otro balanceándolo; mientras lo haces, transmítele tu amor y respeto. Conforme transcurre la acción, cántale y háblale suavemente, dile lo mucho que lo amas, lo valiente que ha sido, lo importante que es para ti y cada una de las cosas que salgan de tu corazón.

Después de realizar por varios días sólo el balanceo, en la misma posición, desabotona su ropa, cúbrelo con una cobija y por debajo de ésta mete tus manos entre sus brazos cruzados o cerrados, y su pecho; déjalas allí mientras le infundes la sensación de seguridad. Observa sus señales para identificar cuándo ha sido suficiente; respetar su ritmo equivale a decir: "Estoy contigo".

Con paciencia, la relajación y el apapacho lo prepararán para el masaje. Una vez que elimine la tensión, su sistema se regulará y podrás observar una gran mejoría en sus hábitos de sueño, apetito y digestión; además, reducirá el llanto.

Es importante que te pongas en su lugar en todo momento, lo que facilitará reacciones y acciones asertivas. Recuerda que hay situaciones que generan en él dolor, temor, angustia y estrés; habrá momentos en los que llorará sin motivo aparente. El contacto abre canales y propicia la descarga de emociones. Abrázalo, acúnalo en respetuoso silencio haciéndole saber que estás con él; cuando se calme, si lo crees adecuado continúa, si no, finaliza la sesión. Vístelo con cuidado para dejarlo descansar.

El masaje

Lo más recomendable es empezar a dar masaje en la zona que estuvo menos expuesta a inyecciones, sensores y electrodos, generalmente la espalda. Como en la fase de preparación, la atmósfera del lugar debe ser adecuada, así como el soporte donde trabajarás. Toma tu posición y acuesta al bebé boca arriba. Coloca en la palma de tus manos unas gotas de aceite vegetal (almendras dulces, por ejemplo) y frótalas; el sonido de la fricción relajará a tu bebé propiciando que acepte las caricias, y el aceite evitará sensaciones discordantes al entrar en contacto con una mano cálida. Estos cuidados favorecerán que el pequeño entienda al masaje como una experiencia placentera, como la oportunidad de sentirse reconfortado por caricias amorosas.

Es importante ir paso a paso, pon atención a las señales de tu bebé e identifica cuando esté listo para experimentar variaciones. Debe existir espacio entre un movimiento y otro para permitir que se relaje la parte del cuerpo con la que estás trabajando. No olvides cantar y hablar mientras das el masaje, puedes decirle qué estás haciendo para que vaya reconociendo su cuerpo y sensaciones.

Recuerda pedir permiso antes de iniciar el masaje. También es muy importante colocar o reposar tus manos en la parte del cuerpo donde lo vas a dar, diciéndole al bebé: "Voy a darte masaje en… " (*ver figura 1*). Esto lo ayudará a saber dónde va a ser tocado y así podrá comenzar a reconocer su cuerpo.

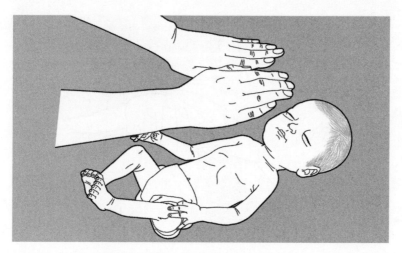

Fig. 1: "Voy a darte masaje en..."

Masaje de espalda

- Desviste al bebé.
- Colócalo boca abajo sobre la colchoneta y cúbrelo con una manta.
- Calienta un poco de aceite en tus manos; por debajo de la manta, colócalas sobre su espalda (*ver figura 2*).

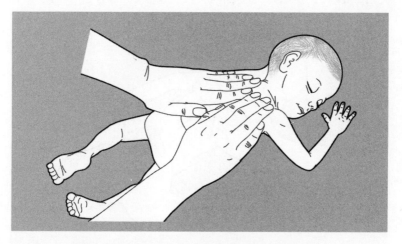

Fig. 2: Coloca tus manos sobre su espalda.

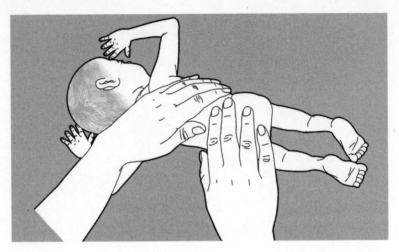

Fig. 3: Mueve tus manos hacia adelante y hacia atrás en un vaivén.

Sólo reposa tus manos sobre su espalda para que el bebé sienta tu calor. Mueve tus manos hacia adelante y hacia atrás en un vaivén (*ver figura 3*). Después de unos minutos, deslízalas alternativamente de la nuca a las nalgas, del hombro derecho a las nalgas y luego cambia de lado (*ver figura 4 y 5*).

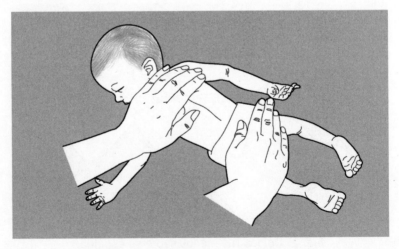

Fig. 4: Deslízalos de la nuca a las nalgas.

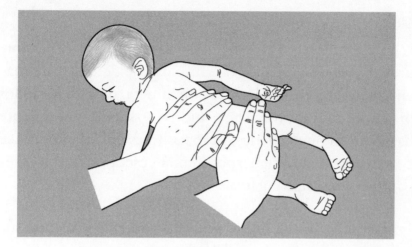

Fig. 5: Deslízalas del hombro derecho a las nalgas y luego cambia de lado.

- Cuida que las caricias tengan la presión adecuada, no lo sobre estimules o irrites, observa sus reacciones. El contacto debe ser firme pues al bebé le gusta sentir la fuerza de tu presencia.

- Con el pulgar, el índice y el medio de ambas manos, dibuja círculos de arriba hacia abajo y de adentro hacia fuera, alrededor de la columna vertebral, formando corazones con tus dedos.

- Coloca tus manos enconchadas a la altura de los pulmones, haz movimientos de succión, esto ayudará a despegar y expulsar las flemas.

- Coloca nuevamente tus manos extendidas sobre su espalda y acúnalo un momento.

- Vístelo, abrázalo y balancéate mientras le cantas, reconoces su actitud durante el masaje y le dices cuánto lo quieres.

Masaje de piernas y pies

Una vez que hayas realizado los pasos previos: relajación, preparación del espacio, del ambiente y del lugar de masaje, acuesta a tu bebé en la colchoneta, desvístelo de los pies a la cintura; toma una pierna y súbela suavemente hasta que él pueda verla, el propósito es que se familiarice con esa parte de su cuerpo, además, esta posición lo prepara para sentarse y gatear.

Primer paso. Toma su pie derecho con ambas manos, súbelas hasta alcanzar la ingle (*ver figura 6*).

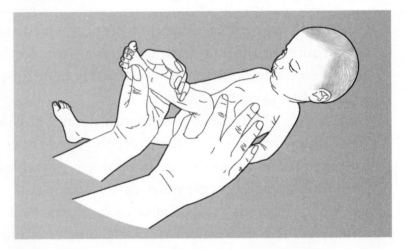

Fig. 6: Sube tus manos hasta alcanzar la ingle. Este ejercicio se llama vaciado sueco.

Realiza de tres a seis repeticiones. Coloca tus manos en la ingle y desciende hasta llegar al pie. Realiza el mismo número de repeticiones. Vuelve a hacer el ejercicio con la pierna izquierda (*ver figura 7*).

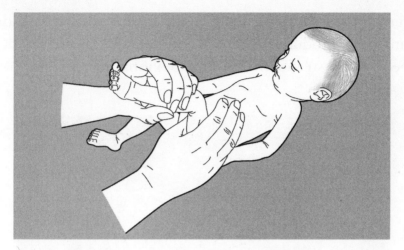

Fig. 7 : Coloca tus manos en la ingle y desciende hasta llegar al pie. Este paso se llama vaciado hindú.

Segundo paso. Rodea su pierna derecha con ambas manos, muévelas dibujando círculos, hazlo como si fueras a exprimir. Ve de la ingle al pie pero *no* toques la zona de la rodilla. Repite con la otra pierna (*ver figura 8*).

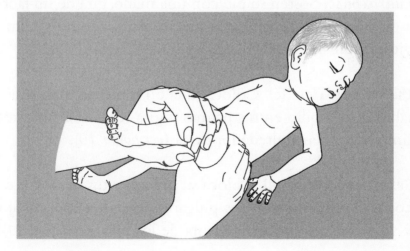

Fig. 8: Mueve tus manos en círculos, como si fueras a exprimir.

Tercer paso (flexión). Coloca tus manos rodeando cada una de sus rodillas. Flexiona, con cuidado, las piernas del bebé hacia su vientre, estira y flexiona nuevamente (*ver figura 9*).

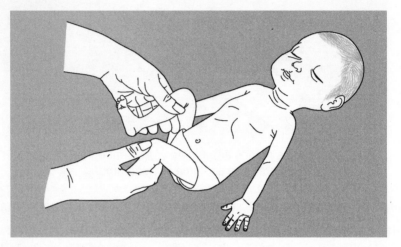

Fig. 9: Flexiona y estira las piernas hacia su vientre.

Cuarto paso. Sostén su pie con una mano, gira de un lado a otro la palma de la otra sobre su planta (como si estuvieras saludando).

Quinto paso (tobillo). Coloca su talón sobre tus manos; estabiliza su tobillo en tus palmas y gira tus dedos pulgares simultáneamente alrededor de él (*ver figura 10*).

Sexto paso (empeine). Coloca su pie sobre tus manos. Recorre el empeine con tus pulgares de arriba hacia abajo y viceversa; no toques la planta de los pies (*ver figura 11*).

Séptimo paso (dedos). Utilizando toda la mano, presiona suavemente sus dedos a un tiempo (*ver figura 12*).

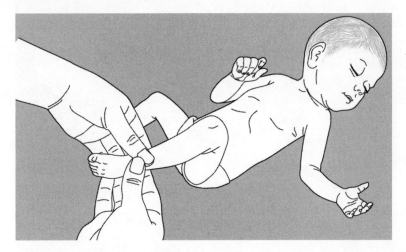

Fig. 10: Estabiliza su tobillo en tus palmas y gira tus dedos
simultáneamente alrededor de él.

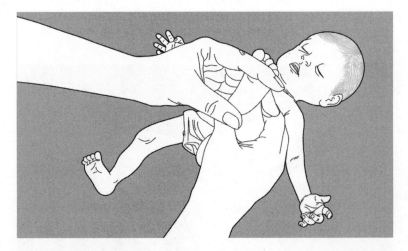

Fig. 11: Recorre el empeine con tus pulgares de arriba hacia abajo
y viceversa.

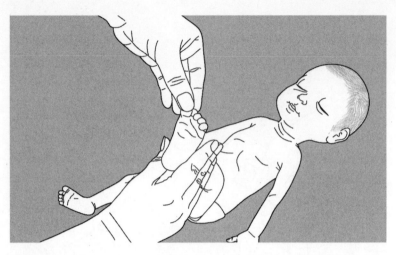

Fig. 12: Presiona suavemente sus dedos a un tiempo.

Cuando hayas terminado todos los pasos, toma una de sus piernas y envuélvela con tus manos, súbelas del pie a la ingle; después, da pequeñas palmaditas a lo largo y ancho de la pierna y en el empeine. Repite la operación con la otra pierna (*ver figura 13*).

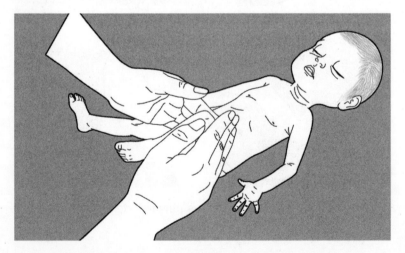

Fig. 13: Sube tus manos del pie a la ingle y da pequeñas palmaditas.

Después sube y baja sus piernas alternadamente(*ver figura 14*). Cuida que tu bebé no esté muy cansado para realizar toda la rutina.

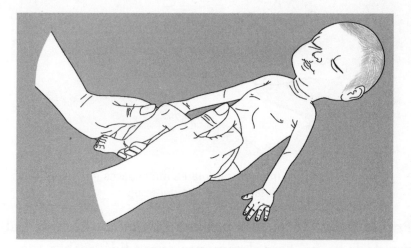

Fig. 14: Sube y baja sus piernas alternadamente.

Masaje de abdomen

Éste es un masaje que debe darse de manera superficial pues el abdomen puede estar inflamado. Una vez que hayas realizado los pasos previos —relajación, preparación del espacio, del ambiente y del lugar de masaje—, acuesta boca arriba a tu bebé sobre la colchoneta, descúbrele el tórax, reposa delicadamente tus manos sobre su abdomen y dile que le realizarás un masaje en esa área. Con una mano haz movimientos circulares muy suaves en el sentido de las manecillas del reloj (*ver figura 15*). En este punto es importante saber qué órgano estás tocando (hígado, intestino, estomago); el intestino ocupa las tres cuartas partes del abdomen y es uno de los órganos más importantes del cuerpo.

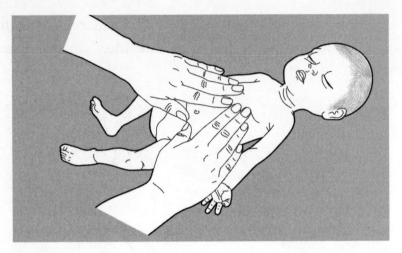

Fig. 15: Haz movimientos circulares muy suaves en el sentido de las manecillas del reloj.

Primer paso. Noria con piernas relajadas. Con la palma de la mano completamente extendida, realiza movimientos suaves de arriba hacia abajo recorriendo todo el abdomen(*ver figura 16*).

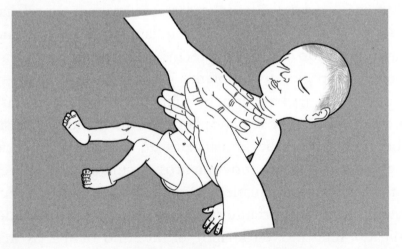

Fig. 16: Noria con piernas relajadas.

Segundo paso. *Noria con piernas arriba.* Utiliza una mano para tomar por los tobillos ambas piernas. Con suavidad, acompaña sus movimientos hasta que tu bebé flexione sus piernas para, después, mantenerlas en alto. Con la otra mano realiza los descritos en el paso anterior.

Tercer paso. *Estimulación del intestino.* Ubica la zona donde se encuentra el intestino, recórrela de izquierda a derecha, como si dieras pequeños pasos con el índice y el medio. Cuando tu bebé esté más maduro y la inflamación haya desaparecido, podrás realizar el cuarto paso.

Cuarto paso. *Sol y luna.* Coloca la mano izquierda sobre su abdomen en el punto donde se marcarían las doce. Deslízala en el sentido de las manecillas del reloj (*ver figura 17*). Cuando llegues al punto donde se ubicarían las seis, realiza el mismo movimiento, ahora con la mano derecha, hasta volver a las doce (*ver figura 18*).

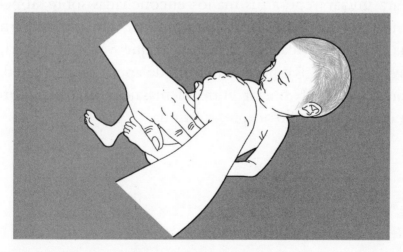

Fig. 17: Desliza tu mano izquierda en el sentido de las manecillas del reloj, hasta donde se ubicarían las seis.

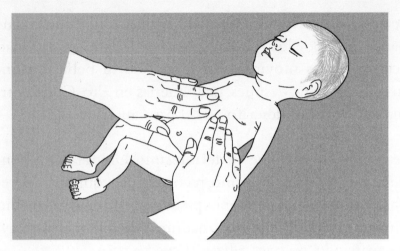

Fig. 18: Realiza el mismo movimiento, ahora con la mano
derecha, hasta volver a las 12.

Quinto paso. Despedida. Con la mano que te sientas más cómoda, realiza movimientos circulares en el sentido de las manecillas del reloj.

Masaje de pecho

Para iniciar, reposa tus manos enconchadas sobre su pecho, transmítele tu amor y tranquilidad; dile que esa parte ha sido lastimada, que lo amas y que vas a acariciarlo (*ver figura 19*). Respeta su tiempo de apertura pues puede tardarse en diferenciar entre el masaje y una maniobra médica; cuando lo acepte, continúa.

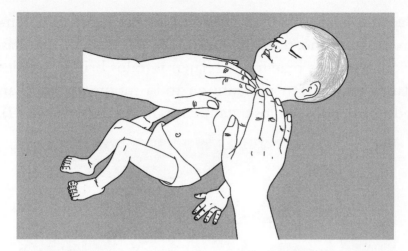

Fig. 19: Reposa tus manos enconchadas sobre su pecho.

Primer paso. Libro abierto. Coloca tus manos en el centro de su pecho. Deslízalas hacia los lados hasta llegar a los hombros, no lo forces a abrir los brazos, respeta su auto-protección (*ver figura 20*).

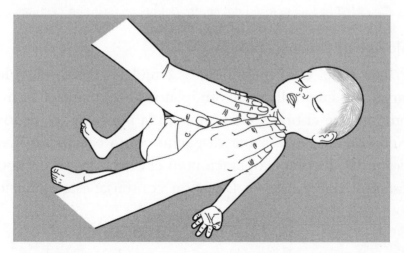

Fig. 20: Libro abierto. Coloca tus manos en el centro de su pecho.

Segundo paso. *Trazar un corazón.* Con tus manos en el centro de su pecho, traza un corazón de allí hasta las costillas. Conforme sus bracitos se relajen y te los brinde, puedes darles masaje. Ten presente en todo momento que han sido lastimados por los tratamientos médicos (*ver figura 21*).

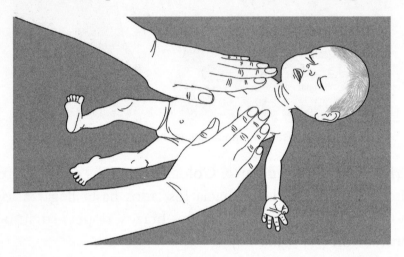

Fig. 21: Traza un corazón del centro del pecho hasta las costillas.

Masaje de brazos y manos

Primer paso. Con movimientos circulares desciende a lo largo del cuello, llega al omóplato, sigue hasta el hombro, recorre el brazo y culmina en la punta de los dedos. Acomoda al brazo sobre su pecho como cerrándolo (*ver figura 22*). Repite la operación en el otro lado del cuerpo. Estamos trabajando en la acción contraria; este ejercicio lo ayuda a *abrirse.*

Segundo paso. No puede iniciarse sino hasta que los brazos del bebé se han relajado. Con la mano, desciende des-

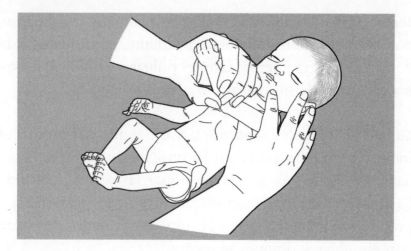

Fig. 22: Con movimientos circulares desciende a lo largo del cuello hasta la punta de los dedos.

del hombro hacia axila, recorre la longitud del brazo hasta llegar a la mano. Sujeta delicadamente su mano entre las tuyas y haz "tortillitas" (*ver figura 23*). Este ejercicio da al bebé apoyo positivo.

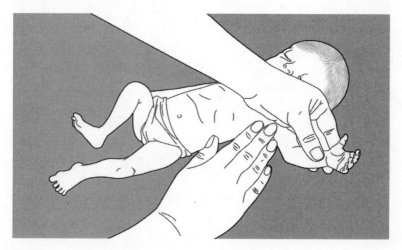

Fig. 23: Desciende del hombro a la axila, y recorre su brazo hasta llegar a la mano.

Tercer paso. Dedos juntos. Toma con la mano derecha todos sus dedos, presiónalos suavemente, circúndalos a la derecha y a la izquierda. Con el pulgar y el índice, masajea cada uno de sus dedos.

Cuarto paso. Dedos separados. Con ayuda del pulgar, el índice y el medio, toma, uno a uno, los dedos de tu bebé, dales un ligero masaje sin presionar las yemas. Para trabajar oposición haz círculos en el pulgar; para trabajar prensión ayúdalo a que cada uno de sus dedos se toque con el pulgar, y después se separe.

Quinto paso. Cierre. Lleva a cabo el masaje de forma ascendente: de mano a hombro (*ver figura 24*).

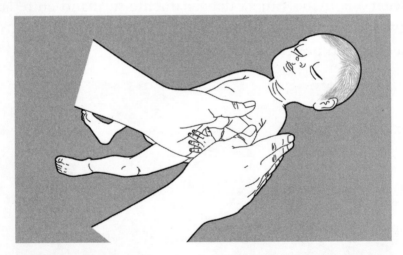

Fig. 24: Cierre. Lleva acabo el masaje de forma ascendente.

Al terminar la secuencia realiza el paso que corresponde al *libro abierto* y que va del pecho a las manos. Esto lo ayudará a *abrirse*.

Ejercicios de integración

Cuando el bebé esté más relajado, fortalecido y su lenguaje corporal te diga que es momento, realiza ejercicios de integración:

1 De su posición de brazos cerrados, tómalo de los antebrazos y las piernitas. Con las cuatro extremidades, con cuidado de no lastimarlo, haz círculos hacia la derecha y hacia la izquierda.

2 Sostén sus manos con las tuyas. Ayúdalo a abrir y cerrar suavemente los brazos (*ver figura 25 y 26*).

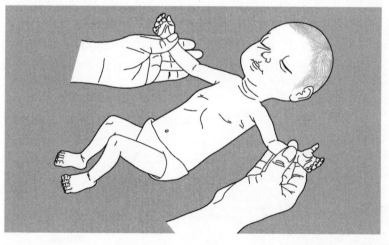

Fig. 25: Ayúdalo a abrir suavemente los brazos.

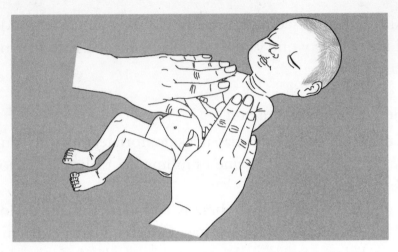

Fig. 26: Ayúdalo a cerrar suavemente los brazos.

3 Toma sus manos y mueve, con cuidado, sus brazos hacia arriba y hacia abajo.

4 Repite la operación, pero muévelos alternadamente arriba y abajo.

5 Después de los siete meses, cruza brazo con pierna: brazo derecho con pierna izquierda, y viceversa (*ver figura 27*).

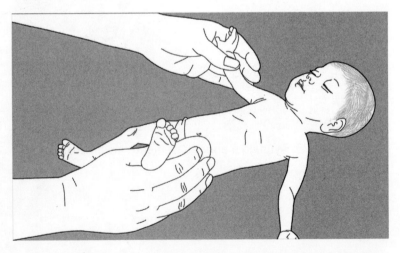

Fig. 27: Después de los siete meses, cruza brazo con pierna.

Masaje de rostro

Para iniciar el masaje de rostro es necesario colocar las manos a los lados de la cabeza del bebé para que no se asuste; entonces le platicas lo que vas a hacer (*ver figura 28*). Estos ejercicios deben realizarse de tres a cuatro veces para que el bebé no se sienta muy invadido.

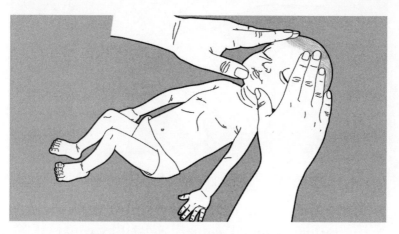

Fig. 28: Coloca las manos al lado de la cabeza.

1 **Libro abierto**. Con las yemas de los dedos abre desde el centro de la frente hacia afuera (*ver figura 29*).

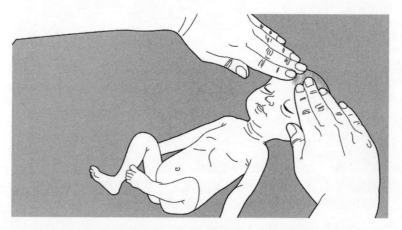

Fig. 29: Abre desde el centro de la frente hacia afuera.

2 *Relajar ojos*. Toma su cabeza con ambas manos, coloca tus pulgares en el entrecejo y deslízalos del centro hacia afuera, llegando a las sienes (*ver figura 30*).

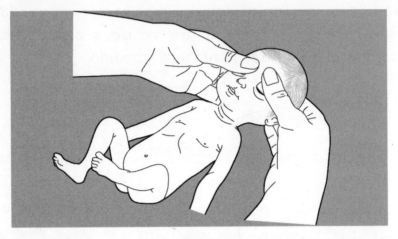

Fig. 30: desliza tus pulgares desde el entrecejo hasta las sienes.

3 *Sonrisa*. Toma su cabeza con ambas manos y coloca tus pulgares en el centro del labio superior, para deslizarlos hacia fuera; después se hace lo mismo con el labio inferior (*ver figura 31*).

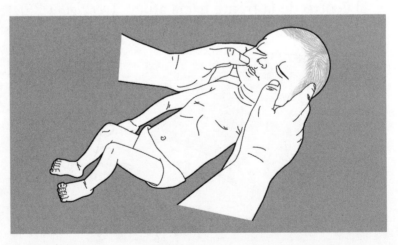

Fig. 31: Coloca tus pulgares en el cuarto del labio superior y deslízalos hacia afuera.

Masaje integral

- Da una larga caricia que abarque todo su cuerpo. Utiliza ambas manos para ir de la cabeza a los pies, y del centro a los extremos.
- Mécelo sobre su espalda de un lado al otro sosteniendo sus extremidades.
- Abrázalo y baila, mantenlo pegado a tu pecho.

Cuidado canguro

Como ya expliqué en capítulos anteriores, la primera visita de los padres a la UCIN es un evento fuerte y difícil, que exige mucho valor y entereza. Los padres, que en su mente guardan la imagen de un bebé de término, se encuentran, dependiendo de las semanas de gestación, con un bebé pequeño que tiene un color de piel diferente o raro y/o con la piel muy delgada y sin grasa, tal vez cubierto de vello, entre otras características; sin embargo, el acercamiento cálido y amoroso fijará en su mente y corazón la imagen del bebé más hermoso: el suyo.

El cuidado canguro (CC) es utilizado como complemento en la intervención médica, corrige la respiración y alivia situaciones de estrés que experimenta el bebé. Este método lo ayuda a estar en condiciones similares al útero, desde su posición escucha muy de cerca los latidos cardiacos de su madre o padre, su voz y ritmo respiratorio. Esto, sumado al calor corporal y el abrazo, le dan contención. Aunque en CC se le cargue verticalmente, también se permite colocarlo en posición fetal.

Este tipo de cuidado sólo necesita del amor; a cambio, permite a los padres tomar un papel activo en el desarrollo y fortalecimiento de su bebé. Con el CC se involucran directamente en el cuidado de su hijo; por lo que, de algún modo, representa una forma de humanización del cuidado neonatal.

La posición de CC consiste en el contacto piel con piel entre el bebé y la madre o padre. Se coloca entre los pechos por debajo de la ropa. Es ideal que este tipo de cuidado inicie lo más pronto posible. La separación entre los padres y el bebé no es sana.

El CC tiene una doble función; por un lado ayuda a los bebés a recobrarse de los efectos de su condición de prematuros, al estar *contenidos*, piel con piel, cobijados por el tórax de su madre y su padre; por otro, ayuda a los padres a fortalecer el vínculo con su hijo.

Diversos estudios demuestran, entre otros, dos efectos fisiológicos positivos del CC, relacionados con la regulación de la temperatura y el peso corporal: la temperatura aumenta hasta 1° C luego de transcurrida una sesión de entre una y dos horas, y el peso también aumenta paulatinamente. Además, este método permite que el bebé se tranquilice, acurruque y adormezca; quizá intente prenderse del pecho materno durante las sesiones, aunque lo usual es que se quede dormido.

La confusión de eventos en UCIN se minimiza con el CC, pues se protege al bebé de cualquier ruido, luz, o elemento discordante, permitiéndole sumergirse en un estupor donde nada lo perturba. Esta técnica genera beneficios para todos los involucrados.

Beneficios para el bebé

Le permite recuperarse más rápidamente de los efectos negativos, físicos y emocionales, propios de su condición. Algunas de las mejorías son:

- Ritmo cardiaco estable.
- Respiración regular.
- Mejor dispersión del oxígeno por el cuerpo.
- Prevención del estrés por frío (cuando el bebé siente frío, necesita oxígeno y calorías adicionales para conservar la temperatura).
- Periodos de sueño prolongados (el cerebro madura durante el sueño).
- Aumento de peso.
- Reducción de actividades sin propósito (aquéllas que no tienen un fin y que sólo lo llevan a quemar calorías poniendo en riesgo su salud).
- Disminución de los periodos de llanto.
- Aumento de los periodos de alerta.
- Entrar en contacto con el pecho materno, prenderse, succionar y empezar a disfrutar de los beneficios físicos y emocionales, de ser amamantado.
- Fortalecimiento del vínculo entre padres e hijo.
- Aumento de la posibilidad de ser dado de alta.

Beneficios para los padres

- Se sienten más positivos sobre la experiencia del nacimiento, a pesar de las dificultades.
- Están más preparados para llevar al bebé a casa.
- Adquieren confianza en el manejo del bebé porque han experimentado la cercanía y lo conocen más.

- Fortalecen el vínculo y, por tanto, la relación amorosa.
- Inciden directamente en la mejoría y recuperación del bebé.

Vínculo durante el cc

Como ya mencioné, cuando un bebé es prematuro el vínculo se crea de forma más lenta, pues tras el nacimiento el pequeño es retirado de los padres y llevado a la UCIN para recibir los cuidados necesarios. Generalmente, en ese momento los padres experimentan fuertes dosis de angustia y ansiedad. Tras sólo unos segundos de ver su rostro, se quedan a la espera, llenos de preguntas, dudas y miedos; no saben si logrará superar esa etapa y, si lo hace, cuáles serán sus condiciones, no pueden ir tras él y desconocen el momento en que podrán volver a verlo, tocarlo. La tristeza inunda el espacio; sin embargo, el cc permite crear y fortalecer paulatinamente el vínculo.

En este proceso, a través del contacto físico los padres pueden ver a su bebé, sentirlo, examinarlo, reconocerlo. Cuando se tiene la oportunidad de estar piel con piel, surge una sensación amorosa que crea la relación afectiva más profunda. En ese momento los padres se relajan y sonríen al saber y sentir que sostienen entre sus brazos y pecho a su hijo. En esta cercanía pueden hablar con él, acariciarlo, cantarle y hacerlo sentirse profundamente amado. El cc disminuye la ansiedad en los padres y el miedo o tensión en el bebé.

Antes de cargar al bebé con el cc es importante calentar las mantas y tu tórax; cuando esté pegadito al cuerpo de sus padres, debe cubrirse de inmediato. La posición dependerá siempre de la madurez y salud del bebé; por ejemplo, aquéllos que están flácidos y débiles quizá no puedan mantener el pecho expandido durante el cc, se les dificulte mantener la cabeza erecta y tengan problema para respirar. Si tu bebé nació antes de las 32 semanas de gestación y pesa menos de 1.500 kilos, será necesario ponerlo en una posición reclinada. La enfermera puede ayudar a colocar al bebé en el ángulo y la posición correcta para que descanse sobre el pecho; si al bebé se le va la cabeza para adelante al dormir, enderézala para que las vías respiratorias permanezcan abiertas. Obsérvalo después de comer para evitar algún accidente causado por el reflujo.

Posiciones para el cc

Posición del bebé con ventilador. Ponerlo en posición adecuada requiere un poco más de preparación, ya que hay mucho equipo y necesitas apoyo de las enfermeras para mantener el equipo en orden a un lado de tu cuerpo, controlar la posición de la cabeza y tener al bebé cubierto para que no pierda calor.

Es importante que el ambiente sea el adecuado. La silla donde vas a sentarte debe estar cerca de la incubadora, los tubos, los monitores y todo aparato que el bebé necesite para que su estado sea monitoreado. Siéntate antes de recibirlo; una vez contigo, piel con piel, cúbrelo. Si tiene ventilador, su cabeza debe permanecer de lado, coloca los tubos sobre tu hombro, asegúralos para que no se muevan. Acuna a tu hijo y adopta una posición semireclinada.

Posición después de comer. El cc debe realizarse inmediatamente después de la comida. Lo ideal es que el padre o la madre permanezca sentado, ligeramente reclinado 60 grados hacia atrás por 30 o 40 minutos, con el fin de que la comida permanezca en su estómago. Transcurrido el tiempo pueden recostarse o tomar cualquier otra posición.

Si el bebé tiene reflujo es importante mantenerlo en posición vertical. El reflujo significa que la comida sube al esófago o boca, lo que puede provocar que se ahogue. Los bebes muy prematuros con tono muscular inmaduro en estómago y esófago pueden experimentar esto durante 45 minutos después de comer.

Para amamantar durante el cc, la madre debe tomar la posición adecuada. Al terminar, se debe colocar verticalmente procurando que la barbilla permanezca un poco elevada. Los bebés más desarrollados pueden mamar en posición vertical.

Amamantamiento

*L*a leche materna es el mejor alimento para los recién nacidos; sin embargo, cuando el alumbramiento tiene como resultado a un bebé prematuro, amamantarlo no siempre es posible. Esto dependerá de la edad y condición del bebé, de la salud de la madre y del apoyo e información disponible para ella.

Los bebés nacidos algunas semanas antes podrán ser amamantados casi sin dificultad; habrá madres que necesitarán usar tiraleche por cierto tiempo antes de que su pequeño esté preparado para succionar.

Amamantar es un acto que impacta de forma positiva en la salud física y el desarrollo del bebé, al tiempo de que ayuda emocionalmente a la madre y permite fortalecer los sentimientos de apego y el vínculo entre ambos. Alimentarlo aunque no esté listo para ello, crea un acercamiento físico similar al del embarazo. Los médicos y enfermeras son quienes cuidan al bebé día a día, pero la madre provee la leche que ayuda a su crecimiento y florecimiento.

Los primeros días después del nacimiento, la madre debe masajear sus senos y sacarse leche con el fin de estimularse. La primera secreción, llamada calostro, contiene anticuerpos y otras sustancias que protegen al pequeño de infecciones. Unas cuantas gotas ayudarán al bebé. El beneficio más impresionante de la leche materna observado en los bebés que permanecen en los cuneros neonatales, es la protección contra infecciones que les provee el calostro.

Los bebés prematuros, especialmente los más pequeños, encaran muchos retos pues aún no están listos para la vida fuera del útero y su sistema digestivo está inmaduro. La leche materna ofrece significativos valores nutritivos; la proteína es más fácil de digerir y sus componentes son los adecuados para cubrir las necesidades del bebé. La grasa que contiene es una importante fuente de energía para el crecimiento de los prematuros.

Tras el nacimiento, la leche de las madres de prematuros contiene mayor cantidad de proteína, grasa, sodio, hierro y otros nutrientes que la de los bebés de nacimiento a término; algunas diferencias desaparecen al mes de nacimiento, y otras son evidentes hasta seis meses después. Este empuje extra nutricional ayuda a los prematuros a crecer y desarrollarse, pues contiene un nivel más elevado de muchos factores antiinfecciosos. Al tener sus sistemas inmunes inmaduros les es más difícil protegerse, por tanto, las células vivas y otros factores inmunes en la leche materna son esenciales.

Diversas investigaciones han encontrado que la leche materna contiene un amplio espectro de hormonas y enzimas, así como otros elementos que favorecen el crecimiento y que ayudan a que maduren los sistemas digestivo, inmunológico y nervioso.

Es importante considerar que la leche materna fue creada por la naturaleza para satisfacer las necesidades nutricionales de los bebés. Consumirla es esencial para ellos.

Cuando los bebés no pueden succionar es necesario que la madre extraiga su leche, para ello, necesitará ayudarse con un tira leche; de preferencia eléctrico y doble, para vaciar ambos senos a un tiempo. Con el fin de continuar con la producción mientras el bebé puede succionar, el líquido debe almacenarse en el congelador, se llevará al hospital y, según su condición, se le administrará por sonda o alimentador.

La madre, al extraer la leche, debe mantener una estricta limpieza de sus manos y senos, y utilizar frascos y mangueras esterilizadas con el fin de reducir la cantidad de bacterias. La leche materna no es estéril, en ella se encuentran el mismo tipo de bacterias que están en la piel del pezón y la areola; sin embargo, la leche humana contiene cierto número de factores antibacteriales que ayudan a reducir el crecimiento de éstas. Pero como los bebés prematuros son más vulnerables a infecciones se deben extremar las precauciones.

Hacer la transición entre extraer la leche y lograr que el bebé succione es un reto y un privilegio. El momento para determinar cuándo el bebé puede succionar, lo marcará su condición: se debe considerar qué tan bien toleró la leche, su habilidad de coordinar la succión, respirar y tragar. Al pesar 1.100 kilos es capaz de succionar, pero para la mayoría de los prematuros es difícil lograrlo;

sin embargo, muchos de ellos pueden estar listos para el pecho antes que para el biberón, pues el pecho no es estresante y el biberón sí. Además, es más fácil coordinar la succión, tragar y respirar en el pecho, pues el pequeño tiene más control en el flujo de la leche. Para ayudarlo en este proceso es importante intentar amamantarlo antes de ofrecerle el biberón. Se requiere paciencia de ambas partes, pero es un gran momento para disfrutar la cercanía.

Una vez que el bebé está listo para ser amamantado, tómalo entre tus brazos como el regalo más preciado de la vida, acúnalo con amor, háblale cariñosa y suavemente, dile lo fuerte y valiente que ha sido en su lucha por sobrevivir, exprésale lo feliz que estás por tenerlo contigo. Él no sólo escuchará tus palabras; también sentirá cómo lo cubres y llenas de amor.

Amamantar debe ser una experiencia agradable, reconfortante y positiva. Debido a que tu bebé fue sometido a diversos procedimientos médicos, es posible que reaccione con cierta aversión hacia la alimentación oral. Con tiempo, amor y paciencia, sus recuerdos se modificarán y él logrará concebir la alimentación oral como una experiencia placentera.

Recuerda que tu bebé prematuro está iniciándose en la succión por lo que:

- Posiblemente no sepa chupar, tragar y respirar al mismo tiempo, lo que puede ocasionar que no ingiera suficiente leche.
- Tenga poca energía y se canse rápidamente, esto impedirá que se alimente por periodos prolongados.
- Vaya de un estado a otro: duerme, despierta, llora, lo que le impide mamar el tiempo necesario.

Sugerencias para las primeras tomas, ya sea en el hospital o en casa

Entra en un estado de relajación absoluta. Siéntate cómoda, date tiempo para estar en contacto con tu bebé, acúnalo, acércalo a tu pecho y pásale el pezón por los labios, deposita una gota de leche en ellos para que se interese y se prenda, permite que te reconozca, que se ayude de la lengua para empezar a succionar. La seguridad y paz que aporta un ambiente de luz tenue y silencio ayudan a este proceso.

Por otra parte, si tú y tu bebé se frustran, relájate, respira profundamente y ofrécele el pecho nuevamente. No te sientas mal ni lo hagas sentir mal, esto toma tiempo a ambos; él necesita aprender a succionar y a coordinar esta acción con respirar y tragar. Enfócate en el proceso de aprendizaje; con paciencia y amor tu bebé sabrá qué hacer. Si sientes dolor en los pezones revisa la posición del bebé; es importante que tenga dentro de la boca el pezón y la areola.

Mientras alimentas a tu bebé observa lo siguiente:

- Que obtenga suficiente aire (oxígeno).
- Que no deje de respirar.
- Que no disminuya el ritmo cardiaco y que la leche no se desvíe a los pulmones.

Pon atención, pero no te pierdas el goce de tener a tu bebé entre tus brazos en uno de los actos de amor más profundo.

Análisis y tratamientos

A continuación se citan los procedimientos y tratamientos que el personal hospitalario podrá requerir como parte de los cuidados del bebé prematuro.

Análisis de sangre. Se efectúan diversos análisis sanguíneos con el fin de obtener datos e indicios de la salud del bebé; en ellos, por lo general, se observan los gases en sangre para conocer los niveles de oxígeno y de dióxido de carbono, lo que permite controlar el estado funcional de sus pulmones; también se realizan cultivos de sangre (hemocultivos) para descartar la presencia de infecciones. Otro tipo de pruebas se practican para saber si hay anemia (hemoglobina o hematocrito), conocer los niveles de azúcar en la sangre (glucemia), el equilibrio químico (electrolitos) y el nivel de ictericia (bilirrubina), entre otras. Para las pruebas, se extrae una pequeña muestra sanguínea a través de una vía central, una arteria, una vena o pinchando en el talón. Cabe destacar que entre más grave e invadido está el bebé, más tomas de sangre son requeridas, por lo que se le deja anémico y requiere de transfusiones sanguíneas.

Análisis de orina. Se puede recoger la orina colocando una bolsa de plástico especial sobre la zona genital del bebé, insertando un catéter en la vejiga o haciendo una punción en la vejiga a través de la piel. Estos análisis se realizan para detectar bacterias u otros componentes y para controlar la cantidad de orina del niño.

Electroencefalograma. Es el registro de la actividad eléctrica del cerebro del bebé; con éste se busca que haya actividad paroxística, que son convulsiones, ya que si no hay actividad es dato de daño cerebral.

Electrocardiograma. Es el registro eléctrico de la actividad del corazón.

Ultrasonido de diversos órganos como riñón e hígado. Es una prueba que usa ondas sonoras para reproducir imágenes de los órganos abdominales. Es una prueba clínica no dolorosa que facilita el diagnóstico y tratamiento de enfermedades.

Plisonográfico. Este estudio sólo se realiza en algunos hospitales con el fin de identificar el estado del sueño, respiración y frecuencia cardiaca del bebé. Estos parámetros se suman para determinar si estos son normales o no.

Transfusión. La capacidad limitada para producir nuevas células sanguíneas ocasiona una disminución importante

de los glóbulos rojos; por ello, las transfusiones son frecuentes en la UCIN. En una transfusión se suministra sangre
o elementos sanguíneos vía intravenosa, lo que favorece
la oxigenación de los tejidos. Antes de realizar una transfusión se comprueba que los productos sanguíneos sean
compatibles con el bebé y que estén libres de infecciones.
Con el fin de evitar riesgos, debe realizarse un análisis de
los niveles de glucosa en la sangre.

Radiografías. Dependiendo de la edad gestacional en que
haya nacido el bebé y de la enfermedad que presente,
pueden hacerse numerosas radiografías para ayudar a los
médicos a evaluar el estado de los pulmones u otras estructuras internas como el corazón y el sistema gastrointestinal. Los bebés con bajo peso al nacer y con menos
de 32 semanas de gestación, son propensos a desarrollar
displasia broncopulmonar, síndrome de dificultad respiratoria (SDR), cardiopatías y enterocolitis necrotizante,
que es un padecimiento intestinal potencialmente peli-
groso (por lo general, de dos a tres semanas después del
nacimiento), que conlleva dificultades de alimentación,
hinchazón abdominal y otras complicaciones en las que
es necesario realizar una cirugía para extirpar secciones
lesionadas del intestino.

Ecografía y ecografía craneal (EC). La ecografía es una técnica que utiliza los ecos sonoros para formar imágenes
bidimensionales. Se utiliza como técnica indolora para
evaluar las estructuras internas y el flujo sanguíneo del
bebé. Se usa con frecuencia para valorar, periódicamente,
la presencia de lesiones cerebrales, especialmente en los

bebés sometidos a ventilación mecánica con altas presiones. Se puede realizar al pie de la incubadora o cuna, con equipo portátil.

Ecocardiograma. Es un estudio que se realiza con ultrasonido para valorar las estructuras y funcionamiento del corazón y los grandes vasos sanguíneos.

Tomografía computarizada (TC). Es una técnica que utiliza un haz estrecho de radiación (rayos x) para valorar las estructuras internas. El haz rota alrededor del cuerpo del bebé al tiempo que una computadora construye una imagen de las estructuras internas. Entre otros usos sirve para diagnosticar hemorragia o exceso de líquidos en el cerebro.

Resonancia magnética (RM). Es otra técnica que ayuda a los médicos a valorar el estado de los órganos internos del niño; se basa en la interacción entre un campo magnético y los átomos del cuerpo. No utiliza fuentes de radiación. Una RM aporta una imagen nítida de los tejidos blandos que no pueden ser estudiados fácilmente mediante otras técnicas.

Exploración ocular. Los prematuros con peso inferior a 1.500 kilos, y aquéllos con peso superior pero insertos en el grupo de alto riesgo, serán explorados por el oftalmólogo a las seis u ocho semanas. Estos exámenes deben repetirse a intervalos regulares hasta que haya finalizado el crecimiento de los vasos capilares del ojo. Durante el examen se dilatan (agrandan) las pupilas del bebé con ayuda de gotas oculares con el fin de observar la retina y la parte posterior del ojo.

Pruebas auditivas. Se realizan antes de que el bebé sea dado de alta del hospital; si se obtiene algún resultado dudoso, serán necesarias pruebas adicionales.

Glosario neonatal

Alimentación parenteral: alimentación por vía intravenosa; es decir, cuando se suministran los nutrientes directamente al torrente sanguíneo.

Anemia: concentraciones anormalmente bajas de hematíes (células sanguíneas que transportan el oxígeno) o
de hemoglobina en la sangre.

Anticuerpos: sustancias proteicas en la sangre que atacan
a cualquier elemento extraño como bacterias, virus u
órganos transplantados.

Apnea: pausa en la respiración que dura entre 15 y 20
segundos; en ocasiones provoca cambios de color (azul
o pálido) en el niño.

A término: nacido entre las 37 y 42 semanas de gestación.

Bajo peso para la edad gestacional: bebés nacidos prematuramente o después de un periodo de gestación
normal, pero que pesan menos de lo que deberían según su edad gestacional. Son pequeños debido al crecimiento lento antes del nacimiento.

Bilirrubina: producto de degradación de los hematíes. Su exceso puede causar una coloración amarillenta de la piel o ictericia.

Bradicardia: frecuencia cardiaca anormalmente lenta.

Calostro: líquido seroso y amarillento secretado por las mamas antes del inicio de la lactancia. Este líquido es rico en anticuerpos que protegen al recién nacido contra las infecciones.

Campana de oxígeno: campana de plástico que se coloca sobre la cabeza del paciente para permitir el control del oxígeno.

Canalizar: introducir un catéter en una arteria o vena.

Cánula nasal: tubo estrecho y flexible para suministrar sustancias a través de los orificios nasales del bebé.

Catéter: tubo estrecho y flexible que se inserta en el cuerpo para extraer o introducir líquidos.

Catéter umbilical: tubo estrecho y flexible que se introduce en el cordón umbilical del niño a través de un vaso sanguíneo.

Colostomía: abertura en la pared abdominal (creada quirúrgicamente) que permite que el colon (porción inferior del intestino grueso) se vacíe directamente en una bolsa.

Convulsión: actividad eléctrica anormal del cerebro que produce movimientos involuntarios de los músculos y espasmos.

Corticoide: medicamento que se pone a las madres con amenaza de parto prematuro; ayuda a la maduración de pulmones, cerebro e intestinos del bebé.

Cuidado canguro (cc): cuidado en el que se coloca al niño contra el pecho de los padres para establecer el contacto piel a piel.

Cultivo: prueba de laboratorio para detectar una infección. Se pueden hacer cultivos de la piel, del líquido raquídeo, de la sangre, de la orina o de las secreciones; de este modo se identifica el crecimiento de bacterias, su tipo y tratamiento.

Cuna térmica: es una cuna con una fuente de calor, generalmente por encima del niño, que regula la temperatura corporal.

De alto riesgo: término empleado para describir a las personas o las situaciones que requieren una asistencia o intervención especial para impedir que la salud se agrave.

Derivación: vía de paso creada mediante cirugía entre dos zonas del cuerpo, como la derivación ventriculo-peritoneal en el niño con hidrocefalia, realizada para drenar el líquido de los ventrículos cerebrales hacia la cavidad abdominal.

Diabetes: trastorno metabólico de la glucosa.

Displasia broncopulmonar (DBP): trastorno respiratorio crónico que se produce como consecuencia de las lesiones pulmonares provocadas por la ventilación mecánica o el suministro de oxígeno, entre otros. A los niños que precisan oxígeno suplementario hasta las cuatro semanas antes de la fecha probable del parto se les diagnostica este trastorno. Se denomina también enfermedad pulmonar crónica de la prematurez (EPC).

Diurético: medicamento que sirve para orinar más y eliminar el exceso de líquido en los órganos.

Doppler: forma de ultrasonido que se puede usar para escuchar los latidos del corazón del feto. Esta prueba puede determinar la cantidad de flujo sanguíneo a través de los vasos sanguíneos.

Drenaje: procedimiento que facilita la salida de aire o líquido de una cavidad o herida. Esto se consigue colocando un catéter en el lugar donde haga falta que salga el líquido o el aire.

Ecocardiograma: utilización de ultrasonido para valorar la estructura y el funcionamiento del corazón y los grandes vasos.

Edad corregida: la edad que el niño prematuro habría tenido si hubiera nacido en la fecha de parto estimada inicialmente.

Edad gestacional: número de semanas entre el primer día de la última menstruación y la fecha de nacimiento.

Electrocardiograma (ECG): registro gráfico de la actividad eléctrica del corazón.

Electroencefalograma (EEG): registro gráfico de la actividad eléctrica del cerebro.

Enfermedad por reflujo gastroesofágico (ERGE): flujo retrógrado del contenido del estómago hacia el esófago que a veces puede causar vómito.

Enfermedad por el virus respiratorio sincitial (VRS): infección respiratoria causada por un virus muy común que puede tener consecuencias en los niños prematuros, con o sin DBP, y en los niños con enfermedades cardiacas congénitas.

Enterocolitis necrosante (ECN): enfermedad del tracto intestinal causada por la inflamación o disminución del flujo sanguíneo al intestino. Esta complicación que afecta a los niños prematuros suele mejorar con el tratamiento, pero puede agravarse y causar perforación del intestino, sepsis o la muerte.

Esfínter inferior del esófago: músculo situado en la unión del esófago con el estómago. Normalmente mantiene cerrada la abertura al estómago, salvo en el momento de tragar, vomitar o eructar.

Estenosis: estrechamiento de alguna vía. La estenosis puede darse, por ejemplo, en una arteria o en el intestino; generalmente provoca obstrucción.

Fisioterapeuta: profesional que trabaja para ayudar en el desarrollo neuromuscular. Es frecuente que participen también durante el seguimiento de niños prematuros.

Fondo de ojo: prueba que se realiza para visualizar los vasos sanguíneos de la retina. Sirve para diagnosticar tempranamente la retinopatía de la prematurez.

Fontanelas: zonas blandas localizadas entre los huesos del cráneo del recién nacido.

Formación del vínculo entre padres e hijos: proceso por el cual los padres y el niño crean lazos emocionales.

Fototerapia: tratamiento especial con luz para recién nacidos con ictericia en el que se coloca el recién nacido afectado bajo luces fluorescentes especiales que descomponen la bilirrubina para que sea eliminada del cuerpo.

Frecuencia cardiaca: número de latidos cardiacos por minuto.

Frecuencia respiratoria: número de respiraciones por minuto.

Fuente de calor radiante: se utiliza en una cuna abierta, aporta calor al pequeño que está accesible en todo momento.

Gases en sangre arterial: análisis de la sangre para determinar las concentraciones de oxígeno, dióxido de carbono y la acidez de la sangre.

Gastrostomía: orificio que se realiza en el estómago mediante un procedimiento quirúrgico. Sirve para administrar alimento a pacientes que no pueden ingerirlo oralmente.

Gestación: periodo comprendido entre la fertilización del óvulo y el nacimiento. La duración promedio de la gestación humana es de 39 semanas.

Glucosa: azúcar simple que aporta energía al cuerpo.

Hemiplejia: tipo de parálisis cerebral en el que se afectan una pierna y un brazo del mismo lado.

Hemorragia intraventricular (hemorragia intracraneal o sangrado cerebral): sangrado anormal en el interior de los ventrículos cerebrales que puede extenderse a los tejidos adyacentes.

Hemorragia subaracnoidea: hemorragia en el espacio que rodea la superficie del cerebro.

Hidrocefalia: acumulación anormal de líquido en las cavidades del cerebro, caracterizada por un aumento anormal del tamaño de la cabeza y la pérdida progresiva de tejido cerebral.

Hipertensión: aumento de la presión sanguínea.

Hipertonía: aumento anormal del tono muscular.

Hipoacusia: disminución de la audición relativamente frecuente en el niño. Es necesario diagnosticarla precozmente para evitar problemas posteriores.

Hipotonía: disminución anormal del tono muscular.

Hipoxia: nivel insuficiente de oxígeno en el cuerpo.

Ictericia: coloración amarillenta de la piel producida por una cantidad de bilirrubina en sangre superior a la normal.

Ileostomía: creación quirúrgica de una abertura en la pared abdominal, a través de la cual se vacían las materias fecales del intestino a una bolsa. Esta intervención puede ser necesaria cuando existen problemas como obstrucción intestinal o enterocolitis necrosante.

Incubadora: cuna para mantener al bebé en un ambiente controlado y protegerlo de las infecciones.

Infección por estreptococo del grupo B (EGB): infección bacteriana que puede ser transmitida al bebé por la madre, aunque ella no tenga síntomas, durante el proceso del parto.

Infecciones nosocomiales: enfermedades infecciosas adquiridas en el hospital.

Inflamación: respuesta del cuerpo ante una lesión, cuyos signos pueden ser dolor, calor, enrojecimiento e hinchazón.

Inmunización: administración de una vacuna para inducir la producción de anticuerpos que protegen contra una enfermedad infecciosa.

Intravenoso (IV): administración de líquidos, sustancias nutritivas o medicamentos directamente en una vena.

Intubación: inserción de un tubo en la tráquea a través de la nariz o la boca para asistir la respiración.

Lanugo: vello fino, suave y de color claro, que cubre el cuerpo del feto y de algunos prematuros.

Leucocito: células de la sangre, también llamadas glóbulos blancos, cuya función es proteger y defender al organismo de las infecciones.

Líquido cefaloraquideo: se encuentra dentro del cerebro y en la columna vertebral. Se puede realizar una extracción para descartar meningitis.

Líquido pulmonar fetal: es secretado por los pulmones fetales antes del nacimiento.

Meconio: materia fecal de color verdoso a negro que constituye las primeras heces del recién nacido y se excreta durante o poco después del parto.

Meningitis: Inflamación de las meninges, la membrana que cubre y protege al cerebro y la médula espinal, ocasionada por un virus o por una bacteria.

Monitor: aparato que registra información sobre determinada función corporal, como la frecuencia cardiaca, temperatura corporal, frecuencia respiratoria o presión sanguínea.

Nebulizador: método de administración de humedad o de medicamentos por el cual son convertidos en una fina pulverización para ser inhalados.

Neonatólogo: médico que se especializa en el cuidado y el desarrollo de los niños prematuros y recién nacidos.

Neumonía: infección de los pulmones que produce dificultad respiratoria, tos, dolor torácico y fiebre.

Neumotorax: afección donde el aire pasa de los pulmones a la cavidad torácica y comprime los pulmones y el corazón. Normalmente hay que extraer el aire que ha salido del pulmón.

Neurólogo: médico que se especializa en el diagnóstico y el tratamiento de padecimientos del sistema nervioso.

Nutrición parenteral: administración de los alimentos directamente al torrente sanguíneo, suministrando los nutrientes necesarios: hidratos de carbono, electrólitos, proteínas, minerales, vitaminas y grasas, sin utilizar el tracto digestivo.

Oftalmólogo: médico especialista en el diagnóstico y el tratamiento de las lesiones o defectos oculares, incluidos la prescripción de lentes, medicamentos y la realización de cirugía.

Oxido nítrico: gas que se administra en los pulmones para mejorar la oxigenación en los bebés muy enfermos.

Oxigenoterapia: cualquier procedimiento en el que se administra oxígeno suplementario a un bebé.

Parálisis cerebral: trastorno fundamentalmente motor, con alteraciones de la alimentación, el habla y el lenguaje en los niños que la padecen.

Persistencia del conducto arterioso (PCA): trastorno en el que el conducto vascular que comunica la aorta (la arteria principal del cuerpo) con la arteria pulmonar (la arteria que lleva la sangre a los pulmones) no se cierra debidamente poco después del nacimiento.

Plaquetas: células de la sangre cuya misión es la coagulación de la sangre.

Prematuro: niño nacido antes de completar la semana 37 de gestación

Presión positiva continua en la vía aérea (CPAP): método de asistencia respiratoria que suministra un flujo constante de oxígeno a los pulmones del niño para mantener abiertos los alvéolos durante la respiración.

Presión sanguínea: la presión que ejerce la sangre contra las paredes de los vasos sanguíneos.

Problemas de desarrollo: incapacidad para adquirir las habilidades esperadas correspondientes a una edad determinada. Puede incluir los problemas de coordinación motriz gruesa y fina (como girar sobre sí mismo, sentarse o recoger objetos oponiendo el pulgar y los demás dedos), sociales, de lenguaje y los trastornos del aprendizaje.

Punción lumbar: técnica diagnóstica en la que se extrae el líquido cefalorraquídeo mediante la introducción de una aguja a través del espacio entre dos vértebras lumbares hasta la zona que contiene el líquido cefalorraquídeo.

Puntuación de Apgar: valoración del estado físico de un recién nacido en los primeros minutos de vida. Se basa en cinco criterios: frecuencia cardiaca, trabajo respiratorio, tono muscular, respuesta a la estimulación y color de la piel. Cada criterio recibe una puntuación entre 0 y 2, por lo que la máxima puntuación posible es de 10.

Rayos X: técnica diagnóstica que emplea la radiación para visualizar estructuras internas del cuerpo.

Reanimación cardiopulmonar (RCP): método para reanimar a una persona cuya respiración y latidos cardiacos han cesado o son anormalmente lentos.

Respirador: aparato empleado para asistir la respiración del niño que regula el flujo de aire, de oxígeno, así como la presión del aire suministrado a través de un tubo insertado en la nariz o la boca y llevado por la garganta hasta la tráquea.

Retinopatía de la prematuridad *(RDP)*: enfermedad de la retina del ojo que afecta principalmente a los niños prematuros.

Rigidez muscular: estado producido por una excesiva tensión muscular.

Sepsis: presencia de agentes infecciosos (bacterias, hongos, virus...) o sus toxinas en el torrente sanguíneo.

Shock séptico: descenso de las constantes vitales debido a una infección que se ha diseminado por todo el cuerpo, de lo que resulta una disminución de la función del corazón y de otros órganos principales.

Síndrome de distrés respiratorio *(SDR)*: trastorno respiratorio de los pulmones inmaduros producido por la deficiencia de surfactante.

Sonda bucogástrica *(sonda BG)*: tubo estrecho y flexible que se introduce en el estómago a través de la boca y el esófago, empleado para administrar nutrientes o para extraer aire o líquidos.

Sonda nasogástrica *(sonda NG)*: tubo estrecho y flexible que se introduce en el estómago a través de la nariz y el esófago, empleado para administrar nutrientes o para extraer aire o líquidos.

Soplo: sonido suave, parecido al que se hace al soplar por la boca, que se percibe en ocasiones al auscultar el corazón. Existen soplos sin importancia llamados soplos funcionales.

Surfactante: sustancia que ayuda a mantener distendidos los pequeños alvéolos, evitando su colapso. Normalmente sintetizado en los pulmones. Se puede administrar surfactante exógeno en niños con SDR.

Taquipnea transitoria del recién nacido (TTRN): respiración rápida que mejora progresivamente en las primeras horas o días después del nacimiento.

Tensión arterial: presión que ejerce la sangre sobre las paredes de las arterias.

Terapeuta ocupacional: especialista en las actividades de desarrollo relacionadas con los brazos, manos, boca y lengua.

Transfusión: administración de sangre o de productos sanguíneos de un donante a un receptor.

Traqueostomia: orificio artificial en la traquea que se realiza para poder conectar un respirador sin necesidad de intubación.

Unidad de cuidados intensivos neonatales (UCIN): unidad especial de un hospital (habitualmente de un hospital regional de gran tamaño) que proporciona cuidados intensivos a los recién nacidos prematuros y a término con problemas potencialmente graves.

Unidad de cuidados intermedios (UCI): sala de neonatología donde ingresan los niños cuando salen de la UCIN, o para estudio y control de niños recién nacidos con problemas que impiden continuar con su madre.

Ventilación con bolsa: tipo de asistencia respiratoria en la que se utiliza una bolsa conectada a una mascarilla y colocada sobre la boca y la nariz, o a un tubo endotraqueal para enviar aire u oxígeno a sus pulmones.

Ventilador: aparato empleado para mantener un flujo normal de aire en los pulmones.

Vermix: capa de grasa clara que cubre la piel del feto. Es secretada por las glándulas sebáceas en el interior del útero; tiene un papel protector de la piel del feto.

Vitaminas: sustancias que existen en pequeñas cantidades en los alimentos naturales, esenciales para que el organismo pueda cumplir las diversas funciones relacionadas con el metabolismo celular, el crecimiento y la salud.

VRS: virus común y fácilmente transmisible que causa enfermedad respiratoria. La infección puede estar limitada a las vías respiratorias superiores (nariz, garganta y senos nasales) o puede extenderse a las vías respiratorias inferiores (pulmones y bronquiolos), produciendo neumonía o bronquiolitis.

Tesimonios de padres
de bebés prematuros

*H*ace ya nueve años que viví el nacimiento prematuro de mis hijos (gemelos), experiencia que dejó en mí una profunda huella; sin embargo, hoy en día puedo hablar de ella.

Puedo describir lo vivido como una "invasión de emociones". Primero esa terrible frustración de no haber logrado un embarazo a término, un embarazo que había deseado tanto y que parecía ir tan bien hasta que una madrugada, a las 34 semanas de gestación, sin causa aparente, se rompió la fuente. En medio del caos apareció la duda, ¿qué estaba pasado?, ¿qué lo había provocado?...

Me invadió una gran tristeza por ya no tener a mis bebés dentro de mí, repentinamente ya no estaban conmigo y no sabía qué iba a ocurrir. Quería que el tiempo pasara rápido… Al contrario, en una situación así pasa lento, fue un largo proceso aceptarlo.

A los dos días de nacidos, uno de mis bebés tuvo que ser trasladado a otro hospital para ser atendido de una endocarditis infecciosa, mientras que el otro llevaba un proceso favorable, con la nueva separación mis temores aumentaron.

Como comento, el bebé que se quedó en el hospital donde nacieron, estaba muy bien, en realidad sólo había que cuidar su temperatura, su alimentación y su peso, podía cargarlo y esto me reconfortaba mucho, aunque no puedo negar que sentía miedo de que algo le pudiera suceder.

Cuando me dieron de alta fui de inmediato a ver a mi otro bebé. Con él el panorama era distinto, estaba inmovilizado, con los ojos cubiertos, focos, respirador, cables, aparatos. La imagen era impactante y me sentía impotente. Ni siquiera podía cargarlo, sólo tocarlo y hablarle, pero me atemorizaba hacerlo; sin embargo él me inspiraba una gran fortaleza.

Fueron pasando los días, las horas se hacían eternas, mi esposo y yo íbamos y veníamos de los hospitales, no poder estar con ninguno permanentemente me hacía sentir muy mal, no había opción. Por fin, tras una semana, al bebé que estaba en situación crítica le quitaron el respirador y sentí un gran alivio. Estaba más libre.

Muchas veces busqué explicaciones con los médicos; generalmente su respuesta era que el bebé se encontraba estable. Esto no me decía mucho, quería saber más; lo que me tranquilizaba era hablar en el hospital con otras madres y padres que pasaban por lo mismo.

Análisis, pruebas, el peso, el oxígeno, los medicamentos… En fin, eran tantos y tantos factores que incidían en que mi bebé siguiera en el hospital, una verdadera prueba a la paciencia, y cada vez que salía del cunero sentía miedo de lo que podría ocurrir.

Sin embargo, cuando visitaba al otro bebé me sentía reconfortada. Se le veía tranquilo, comía y dormía de forma adecuada, lo cargaba mucho y hablaba con él. Al concluir la visita me sentía llena de energía. Transcurridos 35 días, por fin, lo pude llevar a casa.

Lógicamente, el proceso de mi otro gemelo fue más lento. Tardó más en subir de peso, a veces 10 gramos por día, otras, ¡30 gramos!, a pesar de que podía cargarlo me sentía distante de él, lo sentía estresado y eso me estresaba. Nuestro proceso de apego fue más lento. Su salud fue mejorando hasta que, al llegar al día 67 lo pude llevar a casa, el hecho permitió que nos fuéramos recuperando de la difícil experiencia.

Karla Villarelo

❦

Carla, mi primera hija, nació a las 32 semanas de gestación, con una frecuencia cardiaca muy baja; la placenta estaba muy deteriorada, deforme, infartada en algunas zonas por lo que ya no recibía suficientes nutrientes. Nació pesando 845 gramos.

A mi esposo y a mí nos ayudó muchísimo que nos guiaran los doctores, teníamos plena confianza de consultar o preguntarles cualquier cosa, como: "¿Qué puede pasar?". Estábamos concientes de los riesgos y consecuencias, no teníamos miedo de conocer las respuestas y podíamos escuchar lo peor. El hecho de que el pediatra neonatólogo nos haya prestado el video de las técnicas de mamá canguro y haberlo practicado, fue algo muy bueno para su seguridad y autoestima, para ese acercamiento donde escucha los latidos del corazón y siente el calor humano.

Carla estuvo dos meses en el hospital, nació en uno y, a los dos días fue trasladada a otro. Sólo cuatro horas después de su ingreso fue operada porque el meconio se le puso duro como piedra, y le perforó la parte baja del estomago. Era sábado y se necesitaba sangre; al final todo salió bien. No necesitó oxígeno pues cuando aún estaba embarazada me inyectaron para que maduraran sus pulmones.

De la operación se recuperó rápidamente, sólo necesitaba subir de peso por lo que estuvo en incubadora dos meses. Este tiempo nos fue difícil ya que el hospital nos quedaba muy lejos; había veces que al llegar teníamos que esperar entre media y una hora, a veces más, sobre todo cuando le practicaban algún procedimiento.

Una vez que nos permitían acceder, sólo teníamos entre veinte minutos y una hora. Aprovechábamos el tiempo al máximo, podíamos acariciarla, sabíamos que las caricias en la cabecita y plantas de los pies le ayudarían en su desarrollo. Llegado el momento, el neonatólogo nos dijo que la cargáramos con la técnica de mamá canguro, es una experiencia increíble que da muchísimo al bebé y a los papás. Cuando se piensa en todo lo bueno que puedes darle a tu hijo, sacas fuerza hasta de las piedras.

Llevé una grabadora y casetes para ponerle música, le pegaba en su incubadora una estampita con la imagen de santa Rita, le lleve un pulpito de toalla muy suavecito, rezábamos mucho.

Cuando la llevamos a la casa confiamos en que si la habían dado de alta era porque estaba bien, como tenía reflujo inclinamos el colchón y eso le ayudo mucho.

Aprendí a conocerla por medio de la observación que practiqué cada día para identificar sus necesidades y cambios. Al observar sus reacciones descubrimos que tenía tensión muscular y que el masaje en todo el cuerpo le ayudaba mucho; a pesar de que no pude amamantarla, ya estando en casa me la pegaba al pecho sabiendo que no tenía leche, la ponía a succionar para fortalecer la cercanía y el vínculo.

Consejos

Mi recomendación principal es que se apoyen en y con su pareja, que estén juntos, que tenga mucha fe y devoción, que se aferre a que va ser lo mejor para su bebé, que estén el mayor tiempo posible cerca de él. Acaríncienlo y cuando puedan cárguenlo como mamá canguro. Hagan acopio de paciencia, oren, eviten la angustia y la desesperación. Si hay algo que se pueda hacer, se va a hacer y se va a lograr; si no, dejarlo en las manos de Dios y de los médicos. También es importante reconocer y valorar los propios esfuerzos.

ANA CARLA OROZCO

Constanza nació a las 33 semanas pesando 1.700 kilos. Sí, fue difícil saber que se adelantaba tanto y que no había modo de frenarlo. La prioridad fue entonces que ella estuviera sana y yo también para poder cuidarla.

Al principio en el hospital tuvimos buena experiencia ya que nos explicaban todo, así no sentíamos que era como una paciente de rutina; sin embargo, al final hubo cambios y ella se convirtió en un paciente de rutina y yo me empecé a desesperar. Pero veíamos que estuviera bajo todos los cuidados y agradecíamos que estuviera en el hospital porque, definitivamente, no era un cuidado que nosotros pudiéramos proporcionarle en casa.

Siento que debe haber un punto intermedio en las visitas, ya que media hora en la mañana y otra media en la tarde es muy poco. Considero positivo que haya un límite porque de otra manera uno no saldría de la unidad; sin embargo, la permanencia debería ser mayor, quizá dos horas cada vez.

Siempre trato de enfocar las cosas de una manera positiva; de no angustiarme por lo que no puedo resolver porque no está en mis manos; y de pensar que estamos en las mejores manos posibles, con un médico muy bueno y personas que tienen una capacitación que yo no tengo. Entonces lo que a mí me corresponde son los cuidados en la casa, pero los cuidados médicos yo no se los puedo dar. Lo que me tranquilizó como mamá fue la manera de enfocar las cosas, en lugar de sentirme en un drama, pensé que mi hija estaba en el mejor lugar, las mejores manos y con la mejor tecnología disponible; y que mientras yo estuviera con ella le transmitiría mi fortaleza y mi sentir positivo, que me da saber que hay una energía y fe más grande que me trasciende. En cada visita le transmitía que era una niña fuerte, sana, que tenía una familia que la quería, que la adoraba. Le agradecía que fuera mi hija, que nos hubiera escogido como familia y que le estuviera echando ganas todos los días. Con mi mente y corazón, trataba de transmitirle salud, seguridad, paz, fuerza; y esto también me ayudaba a mí afirmándomelo de alguna manera. En todo este proceso es muy importante el apoyo familiar.

Me gustaría sugerirles a los médicos que expliquen un poco más sin alarmar que es común que los prematuros se pongan amarillos o que haya que transfundirlos, ya que como padres son procedimientos que sin información asustan.

En mi caso, como mi hija no estuvo en situación de vida o muerte me sentía tranquila, había progresos diarios. Me angustié cuando la empecé a ver estable más tiempo despierta y, sin embargo, no era dada de alta. Se hizo una fría rutina donde la bebé dejó de ser Constanza para convertirse en "la niña Soto". Las enfermeras la alimentaban mientras platicaban, su trato era impersonal. Sentía que a mi hija le faltaba cariño, plática, estimulación y apego físico; llegó el día en que troné y dije: "Quiero que salga, sí, médicamente está muy bien atendida, pero quiero que la apapachen si llora, que le platiquen mientras le dan la mamila, que la abracen, que reciba el cariño de sus hermanos y esté en su casa, estimulada". Una semana después fue dada de alta.

Es importante tener mucha más paciencia y cuidados, que si a la una de la tarde todavía está uno en pijama, saber que así va a ser, que esa es la realidad ya con el bebé en casa.

Como consejo pienso que cuando no se puede hacer nada, debemos dejar que las otras personas actúen; informarse y, sobre todo, transmitirle al bebé seguridad, cariño, energía y pensamientos positivos por medio de palabras y caricias.

DANIELA SOTO-HAY

❦

La experiencia que viví con el nacimiento prematuro de mi hijo Patricio fue horrible; ha sido una de las más fuertes que me ha tocado experimentar, justo por la angustia de no saber qué sucedería con él. Tomar la decisión de preferir que viviera con todas las consecuencias que podría tener o pedir que se fuera. Decidí que iba a vivir y que lo haría bien, siempre lo tuve claro, aunque en ocasiones dudaba. Esa decisión me ayudó porque mantuve la confianza aún cuando el proceso era el difícil.

Cuando sufrí una hemorragia a las 25 semanas, confiaba en que todo estaría bien. Patricio nació dos semanas más tarde, ignoraba todo sobre los bebés prematuros, sólo sabía que con ese tiempo de gestación podían sobrevivir y me quedé con eso.

Cuando Patricio nació tuvo un neonatólogo que yo no conocía, un doctor muy positivo que me dijo que la salud de Patricio era crítica pero que estaba estable.

También tuve la suerte de ser asesorada por una persona consejera en lactancia, que inmediatamente me llevó una bomba tira leche. El hecho de extraer mi leche y guardarla, me hacía sentir que beneficiaba a mi bebé; aunque sabía que él estaba en manos de los doctores y enfermeras.

Patricio nació en un hospital donde tienen un trato humano y cariñoso, donde permiten estar más tiempo con el bebé. Sin embargo, a las dos semanas de nacido, cuando le quitaron el respirador, tuvimos que cambiar de hospital por el seguro médico. Fue un momento muy difícil, no sólo por el traslado, donde mi esposo se fue en la ambulancia con Patricio, sino por la naturaleza y dinámica del nuevo hospital, las instalaciones estaban sucias y el trato hacia los padres era hostil. Sentía que tenía que rogar para que me permitieran estar con mi hijo.

En el nuevo hospital me asignaron a un neonatólogo de gran prestigio, mi médico anterior dijo que estaríamos en las mejores manos, así que me sentí tranquila; sin embargo, el trato era horrible; realmente los médicos neonatólogos deben estudiar psicología para poder tratar a los papás que viven este duro proceso.

Las instalaciones carecían de una sala de espera cerca de la sección de neonatología; había que esperar en las escaleras durante horas hasta que fuera autorizado el acceso o se anunciara que el médico daría el parte de cada caso. Tras varias horas de espera posteriores al ingreso, salió el médico y, sin consideración por nuestros sentimientos, nos dijo que Patricio estaba muy mal y que podría morir en cualquier momento. Fue muy fuerte escuchar esas palabras acompañadas de tal crudeza, eso mataba mi esperanza. Entiendo que el médico deba atender a mucha gente, pero debería ser sensible a los sentimientos y necesidad de respuestas cuando la vida de alguien está en riesgo. Ahora, a la distancia, lo entiendo y de igual manera le agradezco el tiempo que me dio durante la estancia de mi hijo en el hospital.

Un día me recibieron con la noticia de que Patricio sufría un derrame cerebral, mi familia y yo perdíamos las esperanzas. El médico anunció que se podía reabsorber, me consolaba pensar que, de algún modo, ayudaba que no me permitiera perder la fe. Jamás me sentí derrotada o di cabida a pensamientos fatalistas.

La experiencia en el hospital fue muy dura. Al ser mi primer hijo mi vida giraba alrededor de él; había días muy difíciles en que iba para atrás, luego para adelante. Cada gramo que aumentaba era un gran logro. Así vivía yo, para eso, para ver sus logros.

En el hospital, aunque había muchos niños, pusieron a Patricio en una súper incubadora que parecía nave espacial. Me costó trabajo aceptar la prohibición de cargarlo, sólo podía tocarlo. También me era muy difícil la actitud del personal, el hermetismo de las enfermeras y los doctores; sé que no pueden involucrarse, pero uno llega con tanta carga emocional como para ser maltratado y escuchar sus comentarios negativos acerca de los niños. Pienso que fue muy bueno platicar con las mamás que estaban ahí para desahogarme.

Una vez fuera del hospital, después de dos meses y medio, lo primero que me recomendó el médico fue que lo llevara con un especialista en neurodesarrollo, con el fin de valorarlo y trabajar con él. La recomendación fue acertada y se lo agradezco, Patricio cumplía satisfactoriamente los plazos, verlo manejar el patín del diablo a los dos años me llenó de emoción. Siempre estuve muy comprometida con las medicinas, los correspondientes ejercicios, las posturas, las revisiones médicas y así hasta que maduró a su edad lo que me llenó de orgullo, sin ser un orgullo en el que yo tenga merito pues me lo dio la vida, Dios, Patricio, como cada quien lo quiera llamar; todos los doctores me dicho que mi hijo es un milagro porque no tiene ningún problema.

Creo que todo fue la combinación de las ganas de vivir de Patricio, el estar bien asesorada, y todas las ganas que yo le eché, ya que nunca me dí por vencida haciendo todo con mucha disciplina.

Ahora, siete años después, creo que algo que en ese momento me hizo falta y se necesita es un grupo de apoyo a los padres, en el que puedan hablar y aprender; para no aislarse porque es muy fuerte la carga emocional. Ojalá cambie la cultura de separar a los hijos prematuros de los padres y se pueda estar cerca de ellos.

Nunca me imaginé que pudiera decir que ahora Patricio no sólo está bien, sino que es un niño con inteligencia y motricidad superior, que no tiene ninguna discapacidad.

MARIANA SALVIDEA

❦

Cuando esperábamos a mi tercera hija, Lily, mi esposa, tuvo rompimiento de membranas a las 26 semanas de embarazo. Al llegar al hospital su médico quería operarla de inmediato; sin embargo, yo llamé al pediatra neonatólogo, quien llegó al hospital y, prácticamente imponiéndose al ginecólogo, se negó a la cirugía en ese momento y ordenó que se le diera un esquema de maduración pulmonar y neurológica al bebé de por lo menos tres días.

118 Victoria Dana Aspani

Le suministraron a mi pequeña Mucosolvan, esteroides y barbitúricos. Entre pláticas y peticiones nuestras, el tratamiento duró once días; mi esposa, internada en el hospital, era monitoreada y dos veces al día le sacaban sangre para corroborar que no hubiera ningún tipo de infección y no correr riesgos. Al cabo de los once días había un cambio en los leucocitos de Lily; por lo que no fue posible prolongar más el embarazo. Al día siguiente se le hizo cesárea.

Gracias a ese tratamiento, Karla nació muy fuerte; desde que nació respiro muy bien; tuvo un *Apgar* de 8-9 y llegó a terapia intensiva donde las enfermeras ya le esperaban con el respirador y el oxígeno; a pesar de haber nacido a las 27 ½ semanas de gestación, nada de esto fue necesario; en gran parte, por la determinación del pediatra de no permitir la cesárea a las 26 semanas. El doctor nos decía que cada día que la bebé continuara *in utero* maduraría más de lo que lo hará en una semana fuera del vientre materno.

Mantuvieron a Karla en la incubadora prácticamente para ganar peso. Las enfermeras nos decían que lo que pudiera recibir de leche materna era muy importante, aunque fueran unas gotas solamente. Mi esposa hacía lo posible por extraer lo más que podía.

Nos fue difícil irnos del hospital sin nuestra bebé cuando dieron de alta a Lily. Dejarla ahí fue duro pero manteníamos la calma.

La visitábamos dos veces al día; yo, todas las mañanas, antes de irme a trabajar, pasaba al hospital a estar un par de horas con ella. Karla estaba en su incubadora, yo metía mis manos y la acariciaba; a Karlita le gustaba sacar su piecito por la orilla de la incubadora. Lily llegaba como a las diez de la mañana y se quedaba como hasta la hora de la comida, y así lo hicimos durante un mes.

Durante este difícil proceso, como pareja nos mantuvimos siempre con buena comunicación, tratando de no dejar solita a Karla en la cuna; prácticamente estábamos casi todo el día con ella turnándonos y transmitiéndole el calor de padres y el profundo amor que sentimos por ella, tranquilos, tratando de no transmitirle angustia o preocupación. Le explicábamos lo que estaba sucediendo y lo que tenía que pasar para que nos la lleváramos a casa. Creo que esa comunicación la hizo estar estable a ella. Al mes salió del hospital y tuvimos que cuidarla más que a cualquier otro bebé que llega a casa.

De alguna manera (con los cuidados necesarios) la disfrutamos más tiempo como bebé que a mis otros dos hijos. Ahora ya tiene once años; es una niña muy sana, muy deportista. Nunca tuvo problemas en la escuela (lejos de eso, ha recibido premios de excelencia académica), y a pesar de que el doctor nos advirtió que tendría problemas de madurez, jamás lo vimos con ella. La gente no me cree cuando digo que nació de 27 semanas.

Definitivamente puedo decir que el tratamiento y el consejo acertado del pediatra neonatólogo hizo la gran diferencia. Cuando estábamos en el hospital, había una señora a quien su ginecólogo no permitió que se le hiciera el mismo esquema que a Lily y desgraciadamente sus bebés no tuvieron la misma suerte de Karla.

Gracias al cielo por nuestro pediatra, (de escuela tradicionalista) quien teniendo más experiencia, se impuso de esa manera y le dio una lección al ginecólogo que venía de la escuela americana.

Durante el crecimiento de Karla no se le trató de manera diferente que a mis otros hijos. Tiene los mismos derechos y las mismas obligaciones que los demás. Nunca hubo concesiones especiales por ser prematura y esa fue la clave para que ella no fuera berrinchuda (a pesar del pronóstico de los médicos).

Un consejo para las madres que no pudieron amamantar a su bebé es que, ya más grande, le den un prebiótico para generar bacteria intestinal, que con el tiempo aprendimos lo vital que es para la salud (esto, puede beneficiar a cualquiera, no sólo a los bebés prematuros).

Espero nuestra experiencia pueda ayudar a padres en una situación similar. Ha sido maravilloso crecer a esta niña, quien vino a enriquecer a mi familia de una manera muy especial.

MAYER DANA

Petición

A los médicos, al equipo de enfermeras y al hospital. Como padres, sabemos que tal vez estorbamos en su trabajo por salvar a nuestros bebés; sin embargo, es muy importante decirles que se abran a la parte humana, ya que tanto los padres como el bebé necesitamos estar juntos, vincularnos; poder transmitirle al bebé nuestro amor.

Pedimos también, que los médicos tengan un acercamiento más sensible hacia los padres, ya que recibir las noticias abruptamente sin un entendimiento claro de nuestra parte, sin un marco ni contención nos resulta terrible, podría decirse que hasta desquiciante.

Lo mismo a las enfermeras. cuando los padres estamos adentro del cunero, ya sea en UCIN o en UCI, que sean más amables, que comprendan que los padres estamos angustiados, que nos sentimos ansiosos por ver, tocar y hablar a nuestro bebé; que llegamos sin saber cómo está, qué ha pasado con él, si ha tenido crisis o ha estado estable, que nos expliquen por qué no podemos acercarnos o tocarlos para que así no seamos un estorbo dentro de su trabajo, sino que seamos no sólo los padres amorosos que queremos lo mejor para nuestro bebé, sino también una ayuda, y así trabajar en conjunto ayudándonos a conocer y cuidar de nuestro bebé.